Das Buch

Katharina Blum ist eine junge hübsche Haushäl-
terin, die sich eine kleine Eigentumswohnung
und einen Volkswagen leisten kann. Sie hat ein
heiter-bescheidenes Wesen und wird, weil sie Zudringlichkeiten der Männer verabscheut, in ihrer
Umgebung die »Nonne« genannt. Di
verliebt sich spontan in einen
von der Polizei gesuc'
cher. Sie verhilft ihm zu
Mittelpunkt der Sensat
Boulevardzeitung... »D.   beziehungen, in welches Böll dies menschen verstrickt,
das labile Gebäude von Abhängigkeiten, das er
mit stillem Humor und sprühendem Witz nach
und nach sichtbar werden läßt, erscheinen keinen
Augenblick als ›Konstruktion‹. In der abgerunde-
ten, ausgeglichenen Form dieser auf knappstem
Raum entwickelten brillanten Komposition be-
währt sich ein großer Erzähler.« (Neue Zürcher
Zeitung)

Der Autor

Heinrich Böll, am 21. Dezember 1917 in Köln geboren, erhielt 1972 den Nobelpreis für Literatur.
Er starb am 16. Juli 1985 in Langenbroich.

Heinrich Böll:
Die verlorene Ehre der Katharina Blum
oder: Wie Gewalt entstehen und
wohin sie führen kann
Erzählung

Doktor Blorna - arbeitet für ihn
Frau Blorna - Architektin ("rote Trude" von Zeitung genannt)
...ristin Pletzer - nette Polizistin, die verstellt wie eine Frau
      in der situation reagiert.
...missar Beizmenne - untersucht Katharinas Fall
L. Götten = angebliche Unbrecher. Fund von Katharina
      Polizei schon 1 Jahr hinter ihm her.
...iepert - arbeitet für sie
...an Woltersheim = Tanz-Party, Karnivalsparty,

Deutscher
Taschenbuch
Verlag

Ungekürzte Ausgabe
November 1977
10. Auflage Dezember 1992
Deutscher Taschenbuch Verlag GmbH & Co. KG,
München
© 1974 Verlag Kiepenheuer & Witsch, Köln
ISBN 3-462-01033-6
Umschlaggestaltung: Celestino Piatti
Gesamtherstellung: C. H. Beck'sche Buchdruckerei,
Nördlingen
Printed in Germany · ISBN 3-423-25001-1

Personen und Handlung dieser Erzählung sind frei erfunden. Sollten sich bei der Schilderung gewisser journalistischer Praktiken Ähnlichkeiten mit den Praktiken der ›Bild‹-Zeitung ergeben haben, so sind diese Ähnlichkeiten weder beabsichtigt noch zufällig, sondern unvermeidlich.

Für den folgenden Bericht gibt es einige Neben-
und drei Hauptquellen, die hier am Anfang einmal
genannt, dann aber nicht mehr erwähnt werden.
Die Hauptquellen: Vernehmungsprotokolle der
Polizeibehörde, Rechtsanwalt Dr. Hubert Blorna,
sowie dessen Schul- und Studienfreund, der
Staatsanwalt Peter Hach, der – vertraulich, ver-
steht sich – die Vernehmungsprotokolle, gewisse
Maßnahmen der Untersuchungsbehörde und Er-
gebnisse von Recherchen, soweit sie nicht in den
Protokollen auftauchten, ergänzte; nicht, wie unbedingt hinzugefügt werden muß, zu offiziellem,
lediglich zu privatem Gebrauch, da ihm der Kummer seines Freundes Blorna, der sich das alles
nicht erklären konnte und es doch »wenn ich es
recht bedenke, nicht unerklärlich, sogar fast lo-
gisch« fand, regelrecht zu Herzen ging. Da der
Fall der Katharina Blum angesichts der Haltung
der Angeklagten und der sehr schwierigen Position ihres Verteidigers Dr. Blorna ohnehin mehr
oder weniger fiktiv bleiben wird, sind vielleicht
gewisse kleine, sehr menschliche Unkorrekthei-
ten, wie Hach sie beging, nicht nur verständlich,
auch verzeihlich. Die Nebenquellen, einige von
größerer, andere von geringerer Bedeutung, brauchen hier nicht erwähnt zu werden, da sich ihre

Verstrickung, Verwicklung, Befaßtheit, Befangenheit, Betroffenheit und Aussage aus dem Bericht
selbst ergeben.

2

Wenn der Bericht – da hier so viel von Quellen
geredet wird – hin und wieder als »fließend« empfunden wird, so wird dafür um Verzeihung gebeten: Es war unvermeidlich. Angesichts von »Quellen« und »Fließen« kann man nicht von Komposition sprechen, so sollte man vielleicht statt dessen
den Begriff der Zusammenführung (als Fremd-
wort dafür wird Konduktion vorgeschlagen) ein-
führen, und dieser Begriff sollte jedem einleuch-
ten, der je als Kind (oder gar Erwachsener) in, an
und *mit* Pfützen gespielt hat, die er anzapfte,
durch Kanäle miteinander verband, leerte, ablenk-
te, umlenkte, bis er schließlich das gesamte, ihm
zur Verfügung stehende Pfützenwasserpotential in
einem Sammelkanal *zusammenführte,* um es auf
ein niedrigeres Niveau ab-, möglicherweise gar
ordnungsgemäß oder ordentlich, regelrecht in eine
behördlicherseits erstellte Abflußrinne oder in einen Kanal zu lenken. Es wird also nichts weiter
vorgenommen als eine Art Dränage oder Trocken-

legung. Ein ausgesprochener Ordnungsvorgang! Wenn also diese Erzählung stellenweise in Fluß kommt, wobei Niveauunterschiede und -ausgleiche eine Rolle spielen, so wird um Nachsicht gebeten, denn schließlich gibt es auch Stockungen, Stauungen, Versandungen, mißglückte Konduktionen und Quellen, die »zusammen nicht kommen können«, außerdem unterirdische Strömungen usw. usw.

3

Die Tatsachen, die man vielleicht zunächst einmal darbieten sollte, sind brutal: Am Mittwoch, dem 20. 2. 1974, am Vorabend von Weiberfastnacht, verläßt in einer Stadt eine junge Frau von siebenundzwanzig Jahren abends gegen 18.45 Uhr ihre Wohnung, um an einem privaten Tanzvergnügen teilzunehmen.

Vier Tage später, nach einer – man muß es wirklich so ausdrücken (es wird hiermit auf die notwendigen Niveauunterschiede verwiesen, die den Fluß ermöglichen) – dramatischen Entwicklung, am Sonntagabend um fast die gleiche Zeit – genauer gesagt gegen 19.04 –, klingelt sie an der Wohnungstür des Kriminaloberkommissars Walter Moeding, der eben dabei ist, sich aus dienstlichen, nicht privaten Gründen als Scheich zu verkleiden, und gibt dem erschrockenen Moeding zu Protokoll, sie habe mittags gegen 12.15 in ihrer Wohnung den Journalisten Werner Tötges erschossen, er möge veranlassen, daß ihre Wohnungstür aufgebrochen und er dort »abgeholt« werde; sie selbst habe sich zwischen 12.15 und 19.00 Uhr in der Stadt umhergetrieben, um Reue zu finden, habe aber keine Reue gefunden; sie bitte außerdem um ihre Verhaftung, sie möchte gern dort sein, wo auch ihr »lieber Ludwig« sei.

Moeding, der die junge Person von verschiedenen Vernehmungen her kennt und eine gewisse Sympathie für sie empfindet, zweifelt nicht einen Augenblick lang an ihren Angaben, er bringt sie in seinem Privatwagen zum Polizeipräsidium, verständigt seinen Vorgesetzten Kriminalhauptkommissar Beizmenne, läßt die junge Frau in eine Zelle verbringen, trifft sich eine Viertelstunde später mit Beizmenne vor ihrer Wohnungstür, wo ein entsprechend ausgebildetes Kommando die Tür aufbricht und die Angaben der jungen Frau bestätigt findet.

Es soll hier nicht so viel von Blut gesprochen werden, denn nur *notwendige* Niveauunterschiede sollen als unvermeidlich gelten, und deshalb wird hiermit aufs Fernsehen und aufs Kino verwiesen, auf Grusi- und Musicals einschlägiger Art; wenn hier etwas fließen soll, dann nicht Blut. Vielleicht sollte man lediglich auf gewisse Farbeffekte hinweisen: Der erschossene Tötges trug ein improvisiertes Scheichkostüm, das aus einem schon recht verschlissenen Bettuch zurechtgeschneidert war, und jedermann weiß doch, was viel rotes Blut auf viel Weiß anrichten kann; da wird eine Pistole notwendigerweise fast zur Spritzpistole, und da es sich im Falle des Kostüms ja um *Leinwand* handelt, liegen hier moderne Malerei und Bühnenbild näher als Dränage. Gut. Das sind also die Fakten.

4

Ob auch der Bildjournalist Adolf Schönner, den man erst am Aschermittwoch in einem Waldstück westlich der fröhlichen Stadt ebenfalls erschossen fand, ein Opfer der Blum gewesen war, galt eine Zeitlang als nicht unwahrscheinlich, später aber, als man eine gewisse chronologische Ordnung in den Ablauf gebracht hatte, als »erwiesen unzutreffend«. Ein Taxifahrer sagte später aus, er habe den ebenfalls als Scheich verkleideten Schönner mit einer als Andalusierin verkleideten jungen Frauensperson zu eben jenem Waldstück gefahren. Nun war aber Tötges schon am Sonntagmittag erschossen worden, Schönner aber erst am Dienstagmittag. Obwohl man bald herausfand, daß die Tatwaffe, die man neben Tötges fand, keinesfalls die Waffe sein konnte, mit der Schönner getötet worden war, blieb der Verdacht für einige Stunden auf der Blum ruhen, und zwar des Motivs wegen. Wenn sie schon Grund gehabt hatte, sich an Tötges zu rächen, so hatte sie mindestens soviel Grund gehabt, sich an Schönner zu rächen. Daß die Blum aber zwei Waffen besessen haben könnte, erschien den ermittelnden Behörden dann doch als sehr unwahrscheinlich. Die Blum war bei ihrer Bluttat mit einer kalten Klugheit zu Werke gegangen; als man sie später fragte, ob sie auch Schönner erschossen habe, gab sie eine ominöse, als Frage verkleidete Antwort: »Ja, warum eigentlich nicht den auch?« Dann aber verzichtete man darauf, sie auch des Mordes an Schönner zu verdächtigen, zumal Alibirecherchen sie fast eindeutig entlasteten. Keiner, der Katharina Blum kannte oder im Laufe der Untersuchung ihren Charakter kennenlernte, zweifelte daran, daß sie, falls sie ihn begangen hätte, den Mord an Schönner eindeutig zugegeben hätte. Der Taxifahrer, der das Pärchen zum Waldstück gefahren hatte (»Ich würde es ja eher als verwildertes Gebüsch bezeichnen«, sagte er), erkannte jedenfalls die Blum auf Fotos nicht.

»Mein Gott«, sagte er, »diese hübschen braunhaarigen jungen Dinger zwischen 1,63 und 1,68 groß, schlank und zwischen 24 und 27 Jahre alt – davon laufen doch Karneval Hunderttausende hier herum.«

In der Wohnung des Schönner fand man keinerlei Spuren von der Blum, keinerlei Hinweis auf die Andalusierin. Kollegen und Bekannte des Schönner wußten nur, daß er am Dienstag gegen Mittag von einer Kneipe aus, in der sich Journalisten trafen, »mit irgendeiner Brumme abgehauen war«.

5

Ein hoher Karnevalsfunktionär, Weinhändler und Sektvertreter, der sich rühmen konnte, den Humor wiederaufgebaut zu haben, zeigte sich erleichtert, daß beide Taten erst am Montag bzw. Mittwoch bekanntgeworden waren. »So was am Anfang der frohen Tage, und Stimmung und Geschäft sind hin. Wenn herauskommt, daß Verkleidungen zu kriminellen Taten mißbraucht werden, ist die Stimmung sofort hin und das Geschäft versaut. Das sind echte Sakrilege. Ausgelassenheit und Frohsinn brauchen Vertrauen, das ist ihre Basis.«

Ziemlich merkwürdig verhielt sich die ZEI-
TUNG, nachdem die beiden Morde an ihren Journalisten bekannt wurden. Irrsinnige Aufregung!
Schlagzeilen. Titelblätter. Sonderausgaben. Todes-
anzeigen überdimensionalen Ausmaßes. Als ob –
wenn schon auf der Welt geschossen wird – der
Mord an einem Journalisten etwas Besonderes wäre, wichtiger etwa als der Mord an einem Bankdi-
rektor, -angestellten oder -räuber.

Diese Tatsache der Über-Aufmerksamkeit der
Presse muß hier vermerkt werden, weil nicht nur
die ZEITUNG, auch andere Zeitungen tatsächlich
den Mord an einem Journalisten als etwas besonders Schlimmes, Schreckliches, fast Feierliches,
man könnte fast sagen wie einen Ritualmord be-
handelten. Es wurde sogar von »Opfer seines Berufes« gesprochen, und natürlich hielt die ZEI-
TUNG selbst hartnäckig an der Version fest, auch
Schönner wäre ein Opfer der Blum, und wenn
man auch zugeben muß, daß Tötges wahrscheinlich nicht erschossen worden wäre, wäre er nicht
Journalist geworden (sondern etwa Schuhmacher
oder Bäcker), so hätte man doch herauszufinden
versuchen sollen, ob man nicht besser von beruflich bedingtem Tod hätte sprechen müssen, denn
es wird ja noch geklärt werden, warum eine so

kluge und fast kühle Person wie die Blum den Mord nicht nur plante, auch ausführte und im entscheidenden, von ihr herbeigeführten Augenblick nicht nur zur Pistole griff, sondern diese auch in Tätigkeit setzte.

7

Gehen wir von diesem äußerst niedrigen Niveau sofort wieder auf höhere Ebenen. Weg mit dem Blut. Vergessen sein soll die Aufregung der Presse. Die Wohnung der Katharina Blum ist inzwischen gesäubert, die unbrauchbar gewordenen Teppiche sind auf dem Abfall gelandet, die Möbel abgewischt und zurechtgerückt, das alles auf Kosten und Veranlassung von Dr. Blorna, der sich dazu durch seinen Freund Hach bevollmächtigen ließ, wenn auch noch lange nicht sicher ist, daß Blorna der Vermögensverwalter sein wird.

Immerhin hat diese Katharina Blum innerhalb von fünf Jahren in eine Eigentumswohnung im Wert von insgesamt einhunderttausend Mark sechzigtausend bar investiert, es gibt da also – wie ihr Bruder, der zur Zeit eine geringfügige Freiheitsstrafe abbüßt – es ausdrückte, was »Handfestes abzustauben«. Aber wer käme dann für die Zinsen und die Amortisation der restlichen vierzigtausend Mark auf, und wenn man auch eine nicht unerhebliche Wertsteigerung einkalkulieren muß. Es bleiben nicht nur Akt- auch Passiva.

Tötges immerhin ist längst beerdigt (mit einem unangemessenen Aufwand, wie manche Leute festgestellt haben). Schönners Tod und Beerdigung sind merkwürdigerweise nicht mit solcher Aufmachung und Aufmerksamkeit betrieben und bemerkt worden. Warum wohl? Weil er kein »Opfer seines Berufes« war, sondern wahrscheinlicher das Opfer eines Eifersuchtsdramas? Das Scheichkostüm ist in der Asservatenkammer, auch die Pistole (eine o8), über deren Herkunft nur Blorna Bescheid weiß, während Polizei und Staatsanwaltschaft sich vergeblich bemüht haben, dies herauszufinden.

8

Die Recherchen über die Aktivitäten der Blum während der fraglichen vier Tage ließen sich für die ersten Tage gut an, stockten erst, als es den Sonntag zu erkunden galt.

Blorna selbst hatte Katharina Blum am Mittwochnachmittag zwei volle Wochenlöhne in Höhe von je 280 DM ausgezahlt, einen für die laufende Woche, den zweiten für die folgende Woche, da er selbst am Mittwochnachmittag mit seiner Frau in den Winterurlaub fuhr. Katharina hatte den Blornas nicht nur versprochen, sondern geradezu geschworen, daß sie endlich einmal Urlaub machen und sich über Karneval amüsieren wolle und nicht, wie in all den Jahren davor, ins Saisongeschäft gehen würde. Sie hatte den Blornas freudig mitgeteilt, daß sie für den Abend zu einem privaten kleinen Hausball bei ihrer Patentante, Freundin und Vertrauten Else Woltersheim eingeladen sei und sich sehr darauf freue, sie habe so lange keine Gelegenheit mehr gehabt, zu tanzen. Daraufhin habe Frau Dr. Blorna zu ihr gesagt: »Warte nur, Kathrinchen, wenn wir zurück sind, geben wir mal wieder 'ne Party, dann kannst du auch wieder tanzen.« Seitdem sie in der Stadt war, seit fünf oder sechs Jahren, hatte Katharina sich immer wieder über die nicht vorhandenen Möglichkeiten, »mal einfach irgendwo tanzen zu gehen«, beklagt. Da gab es, wie sie Blornas erzählte, diese Buden, in denen eigentlich nur verklemmte Studenten eine kostenlose Nutte suchen, dann gab es diese bohemeartigen Dinger, in denen es ihr ebenfalls zu wüst zuging, und konfessionelle Tanzveranstaltungen verabscheute sie geradezu.

Am Mittwochnachmittag hatte Katharina, wie sich leicht ermitteln ließ, noch zwei Stunden bei dem Ehepaar Hiepertz gearbeitet, wo sie gelegentlich und auf Anfrage aushalf. Da die Hiepertz ebenfalls die Stadt während der Karnevalstage verließen und zu ihrer Tochter nach Lemgo fuhren, hatte Katharina die beiden alten Herrschaften noch in ihrem Volkswagen zum Bahnhof gebracht. Trotz erheblicher Parkschwierigkeiten hatte sie darauf bestanden, sie auch noch auf den Bahnsteig zu bringen und ihr Gepäck zu tragen. (»Nicht ums Geld, nein, für solche Gefälligkeiten dürfen wir ihr gar nichts anbieten, das würde sie tief kränken«, erläuterte Frau Hiepertz.) Der Zug war nachweislich um 17.30 Uhr gefahren. Wenn man Katharina fünf bis zehn Minuten zubilligen wollte, um inmitten des beginnenden Karnevalsrummels ihren Wagen zu finden, weitere zwanzig oder gar fünfundzwanzig Minuten, um ihre außerhalb der Stadt in einem Wohnpark gelegene Wohnung zu erreichen, die sie also erst zwischen 18.00 und 18.15 Uhr betreten haben konnte, so blieb keine Minute ungedeckt, wenn man ihr gerechterweise zubilligen mochte, daß sie sich gewaschen, umgezogen, eine Kleinigkeit gegessen hatte, denn sie war schon gegen 19.25 Uhr bei Frau Woltersheim zur Party erschienen, nicht per Auto, sondern per Straßenbahn, und sie war weder als Beduinenfrau noch als Andalusierin verkleidet, sondern lediglich mit einer roten Nelke im Haar, in roten Strümpfen und Schuhen, in einer hochgeschlossenen Bluse aus honigfarbener Honanseide und einem gewöhnlichen Tweedrock von gleicher Farbe. Man mag es gleichgültig finden, ob Katharina mit ihrem Auto oder mit der Straßenbahn zur Party fuhr, es muß hier erwähnt werden, weil es im Laufe der Ermittlungen von erheblicher Bedeutung war.

9

Von dem Augenblick an, da sie die Woltersheimsche Wohnung betrat, wurden die Ermittlungen erleichtert, weil Katharina von 19.25 Uhr an, ohne es zu ahnen, unter polizeilicher Beobachtung stand. Den ganzen Abend über, von 19.30 bis 22.00 Uhr, bevor sie mit diesem die Wohnung verließ, hatte sie »ausschließlich und innig«, wie sie selber später aussagte, mit einem gewissen Ludwig Götten getanzt.

Man sollte hier nicht vergessen, dem Staatsanwalt Peter Hach Dankbarkeit zu zollen, denn ihm einzig und allein verdankt man die an justizinternen Klatsch grenzende Mitteilung, daß Kriminalkommissar Erwin Beizmenne von dem Augenblick an, da die Blum mit Götten die Wohnung der Woltersheim verließ, die Telefone der Woltersheim und der Blum abhören ließ. Das geschah auf eine Weise, die man vielleicht der Mitteilung für wert halten mag. Beizmenne rief in solchen Fällen den dafür zuständigen Vorgesetzten an und sagte zu diesem: »Ich brauche mal wieder meine Zäpfchen. Diesmal zwei.«

11

Offenbar hat Götten von Katharinas Wohnung aus nicht telefoniert. Jedenfalls wußte Hach nichts davon. Sicher ist, daß die Wohnung von Katharina streng überwacht wurde, und als bis 10.30 Uhr am Donnerstagmorgen weder telefoniert worden war, noch Götten die Wohnung verlassen hatte, drang man, da Beizmenne die Geduld und auch die Nerven zu verlieren begann, mit acht schwerbewaffneten Polizeibeamten in die Wohnung ein, stürmte sie regelrecht unter strengsten Vorsichtsmaßregeln, durchsuchte sie, fand aber Götten nicht mehr, lediglich die »äußerst entspannt, fast glücklich wirkende« Katharina, die an ihrer Küchenanrichte stand, wo sie aus einem großen Becher Kaffee trank und in eine mit Butter und Honig bestrichene Scheibe Weißbrot biß. Sie machte sich insofern verdächtig, als sie nicht überrascht, sondern gelassen, »wenn nicht triumphierend« wirkte. Sie trug einen Bademantel aus grüner Baumwolle, der mit Margueriten bestickt war, war darunter unbekleidet, und als sie von Kommissar Beizmenne (»ziemlich barsch«, wie sie später erzählte) gefragt wurde, wo Götten geblieben sei, sagte sie, sie wisse nicht, wann Ludwig die Wohnung verlassen habe. Sie sei gegen 9.30 Uhr wach geworden, und da sei er schon weg gewesen. »Ohne Abschied?« – »Ja.«

12

An dieser Stelle sollte man etwas über eine höchst umstrittene Frage von Beizmenne erfahren, die Hach einmal zum besten gab, widerrief, dann noch einmal erzählte und zum zweitenmal widerrief. Blorna hält diese Frage für wichtig, weil er glaubt, daß, wenn sie wirklich gestellt worden sei, hier und nirgendwo anders der Beginn von Katharinas Verbitterung, Beschämung und Wut gelegen haben könnte. Da Blorna und seine Frau Katharina Blum als in sexuellen Dingen äußerst empfindlich, fast prüde schildern, muß die *Möglichkeit*, Beizmenne könnte – ebenfalls in höchster Wut über den entschwundenen Götten, den er sicher zu haben glaubte – die umstrittene Frage gestellt haben, hier erwogen werden. Beizmenne *soll* die aufreizend gelassen an ihrer Anrichte lehnende Katharina nämlich gefragt haben: »Hat er dich denn gefickt«, woraufhin Katharina sowohl rot geworden sein wie in stolzem Triumph gesagt haben soll: »Nein, ich würde es nicht so nennen.«

Man kann getrost annehmen, daß, *wenn* Beizmenne diese Frage gestellt hat, von diesem Augenblick an keinerlei Vertrauen mehr zwischen ihm und Katharina entstehen konnte. Die Tatsache, daß es tatsächlich nicht zu einem Vertrauensverhältnis zwischen den beiden kam – obwohl Beizmenne, der als »gar nicht so übel« gilt, es nachweislich versuchte –, sollte aber nicht als endgültiger Beweis dafür angesehen werden, daß er die ominöse Frage wirklich gestellt hat. Hach jedenfalls, der bei der Haussuchung zugegen war, gilt unter Bekannten und Freunden als »Sexklemmer«, und es wäre durchaus möglich, daß ihm selbst ein so grober Gedanke gekommen ist, als er die äußerst attraktive Blum da so nachlässig an ihrer Anrichte lehnen sah, und daß er diese Frage gern gestellt oder die so grob definierte Tätigkeit gern mit ihr ausgeübt hätte.

13

Die Wohnung wurde anschließend gründlich durchsucht, es wurden einige Gegenstände beschlagnahmt, vor allem Schriftliches. Katharina Blum durfte sich im Badezimmer in Gegenwart der weiblichen Beamtin Pletzer anziehen. Doch durfte die Badezimmertür nicht ganz geschlossen werden; sie wurde von zwei bewaffneten Beamten schärfstens bewacht. Es wurde Katharina gestattet, ihre Handtasche mitzunehmen, und da ihre Verhaftung nicht ausgeschlossen werden konnte, durfte sie Nachtzeug, einen Toilettenbeutel, Lektüre mitnehmen. Ihre Bibliothek bestand aus vier Liebesromanen, drei Kriminalromanen sowie aus einer Napoleonbiographie und einer Biographie der Königin Christina von Schweden. Sämtliche Bücher stammten aus einem Buchklub. Da sie dauernd fragte »Aber wieso, wieso denn, was habe ich denn verbrochen«, wurde ihr schließlich von der Kriminalbeamtin Pletzer in höflicher Form mitgeteilt, daß Ludwig Götten ein lange gesuchter Bandit sei, des Bankraubes fast überführt und des Mordes und anderer Verbrechen verdächtig.

14

Als Katharina Blum endlich gegen 11.00 Uhr aus ihrer Wohnung fort und zur Vernehmung geführt wurde, verzichtete man letzten Endes doch darauf, ihr Handschellen anzulegen. Beizmenne neigte zwar dazu, auf Handschellen zu bestehen, ließ sich aber nach einem kurzen Dialog zwischen der Beamtin Pletzer und seinem Assistenten Moeding herbei, darauf zu verzichten. Da wegen der an diesem Tag beginnenden Weiberfastnacht zahlreiche Hausbewohner nicht zur Arbeit gegangen und noch nicht zu den alljährlich fälligen saturnalienartigen Umzügen, Festen etc. aufgebrochen waren, standen etwa drei Dutzend Bewohner des zehnstöckigen Appartementhauses in Mänteln, Morgenröcken und Bademänteln im Foyer, und der Pressefotograf Schönner stand wenige Schritte vor dem Aufzug, als Katharina Blum, zwischen Beizmenne und Moeding, von bewaffneten Polizeibeamten flankiert, den Aufzug verließ. Sie wurde von vorne, von hinten, von der Seite mehrmals fotografiert, zuletzt, da sie in ihrer Scham und Verwirrung mehrmals ihr Gesicht zu verdecken versuchte und dabei mit ihrer Handtasche, dem Toilettenbeutel und einer Plastiktüte, in der zwei Bücher und Schreibzeug waren, in Konflikt geriet, mit zerwühltem Haar und recht unfreundlichem Gesichtsausdruck.

15

Eine halbe Stunde später, nachdem sie auf ihre Rechte hingewiesen worden und ihr Gelegenheit gegeben worden war, sich wieder etwas herzurichten, begann in Gegenwart von Beizmenne, Moeding, der Frau Pletzer sowie der Staatsanwälte Dr. Korten und Hach die Vernehmung, die protokolliert wurde: »Mein Name ist Katharina Brettloh, geb. Blum. Ich wurde am 2. März 1947 in Gemmelsbroich im Landkreis Kuir geboren. Mein Vater war der Bergarbeiter Peter Blum. Er starb, als ich sechs Jahre alt war, im Alter von siebenunddreißig Jahren an einer Lungenverletzung, die er im Krieg erlitten hatte. Mein Vater hatte nach dem Krieg wieder in einem Schieferbergwerk gearbeitet und war auch staublungenverdächtig. Meine Mutter hatte nach seinem Tode Schwierigkeiten mit der Rente, weil sich das Versorgungsamt und die Knappschaft nicht einigen konnten. Ich mußte schon sehr früh im Haushalt arbeiten, weil mein Vater häufig krank war und entsprechenden Verdienstausfall hatte und meine Mutter verschiedene Putzstellen annahm. In der Schule hatte ich keinerlei Schwierigkeiten, obwohl ich auch während der Schulzeit viel Hausarbeit machen mußte, nicht nur zu Hause, auch bei Nachbarn und anderen Dorfbewohnern, wo ich beim Backen, Kochen, Einmachen, Schlachten zur Hand ging. Ich tat auch viel Hausarbeit und half bei der Ernte. Mit Hilfe meiner Patentante, Frau Else Woltersheim aus Kuir, bekam ich nach der Schulentlassung im Jahre 1961 eine Stelle als Hausgehilfin in der Metzgerei Gerbers in Kuir, wo ich auch beim Verkaufen gelegentlich aushelfen mußte. Von 1962 bis 1965 besuchte ich mit Hilfe und durch finanzielle Unterstützung meiner Patentante Frau Woltersheim, die dort als Ausbilderin tätig war, eine Hauswirtschaftsschule in Kuir, die ich mit sehr gut absolvierte. Von 1966 bis 1967 arbeitete ich als Wirtschafterin im Ganztagskindergarten der Firma Koeschler im benachbarten Oftersbroich, bekam dann eine Stelle als Hausgehilfin bei dem Arzt Dr. Kluthen, ebenfalls in Oftersbroich, wo ich nur ein Jahr verblieb, weil Herr Doktor immer häufiger zudringlich wurde und Frau Doktor das nicht leiden mochte. Auch ich mochte diese Zudringlichkeiten nicht. Mir war das widerwärtig. Im Jahre 1968, als ich für einige Wochen stellenlos war und im Haushalt meiner Mutter aushalf und gelegentlich bei den Versammlungen und Kegelabenden des Trommlerkorps Gemmelsbroich aushalf, lernte ich durch meinen älteren Bruder Kurt Blum den Textilarbeiter Wilhelm Brettloh kennen, den ich wenige Monate später heiratete. Wir wohnten in Gemmelsbroich, wo ich gelegentlich an den Wochenenden bei starkem Ausflüglerverkehr in der Gastwirtschaft Kloog in der Küche aushalf, manchmal auch als Serviererin. Schon nach einem halben Jahr empfand ich unüberwindliche Abneigung gegen meinen Mann. Näheres möchte ich dazu nicht aussagen. Ich verließ meinen Mann und zog in die Stadt. Ich wurde schuldig geschieden wegen böswilligen Verlassens und nahm meinen Mädchennamen wieder an. Ich wohnte zunächst bei Frau Woltersheim, bis ich nach einigen Wochen eine Stelle als Wirtschafterin und Hausgehilfin im Hause des Wirtschaftsprüfers Dr. Fehnern fand, wo ich auch wohnte. Herr Dr. Fehnern ermöglichte es mir, Abend- und Weiterbildungskurse zu besuchen und eine Fachprüfung als staatlich geprüfte Wirtschafterin abzulegen. Er war sehr nett und sehr großzügig, und ich blieb auch bei ihm, nachdem ich die Prüfung abgelegt hatte. Ende des Jahres 1969 wurde Herr Dr. Fehnern im Zusammenhang mit erheblichen Steuerhinterziehungen, die bei großen Firmen, für die er arbeitete, festgestellt worden waren, verhaftet. Bevor er abgeführt wurde, gab er mir einen Briefumschlag mit drei Monatsgehältern und bat mich, auch weiterhin nach dem Rechten zu sehen, er käme bald wieder, sagte er. Ich blieb noch einen Monat, versorgte seine Angestellten, die unter der Aufsicht von Steuerbeamten in seinem Büro arbeiteten, hielt das Haus sauber und den Garten in Ordnung, kümmerte mich auch um die Wäsche. Ich brachte Herrn Dr. Fehnern immer frische Wäsche ins Untersuchungsgefängnis, auch zu essen, besonders Ardennenpastete, die ich beim Metzger Gerbers in Kuir herzustellen gelernt hatte. Später wurde die Praxis geschlossen, das Haus beschlagnahmt, ich mußte mein Zimmer räumen. Herrn Dr. Fehnern hatte man anscheinend auch Unterschlagung und Fälschung nachgewiesen, und er kam richtig ins Gefängnis, wo ich ihn auch weiterhin besuchte. Ich wollte ihm auch die zwei Monatsgehälter zurückgeben, die ich ihm noch schuldete. Er verbat sich das regelrecht. Ich fand sehr rasch eine Stelle bei dem Ehepaar Dr. Blorna, die ich durch Herrn Fehnern kennengelernt hatte.

Blornas bewohnen einen Bungalow in der Park-
siedlung Südstadt. Obwohl mir dort Wohnung ge-
boten wurde, lehnte ich ab, ich wollte endlich un-
abhängig sein und meinen Beruf mehr freiberuflich ausüben. Das Ehepaar Blorna war sehr gütig
zu mir. Frau Dr. Blorna verhalf mir – sie arbeitet
in einem großen Architektenbüro – zu meiner Eigentumswohnung in der Satellitenstadt im Süden,
die unter dem Motto ›Elegant am Strom wohnen‹
angezeigt wurde. Herr Dr. Blorna war in seiner
Eigenschaft als Industrieanwalt, Frau Dr. Blorna
in ihrer Eigenschaft als Architektin mit dem Pro-
jekt vertraut. Ich berechnete mit Herrn Dr. Blorna
die Finanzierung, Verzinsung und Amortisation
eines Zwei-Zimmer-Küche-Bad-Appartements im
8. Stock, und da ich inzwischen Ersparnisse in
Höhe von 7000 DM hatte zurücklegen können
und das Ehepaar Blorna für einen Kredit in Höhe
von 30 000 DM bürgte, konnte ich schon Anfang
1970 in meine Wohnung einziehen. Meine monat-
liche Mindestbelastung betrug zu Beginn etwa
1100 DM, da aber das Ehepaar Blorna meine Ver-
pflegung nicht berechnete, Frau Blorna mir sogar
noch jeden Tag etwas zum Essen und Trinken zu-
steckte, konnte ich sehr sparsam leben und meinen
Kredit rascher amortisieren, als anfänglich berechnet war. Ich führe seit vier Jahren die Wirtschaft
und den Haushalt dort selbständig, meine Arbeits-

zeit beginnt um sieben Uhr morgens und endet nachmittags gegen sechzehn Uhr dreißig, wenn ich mit den Haus- und Reinigungsarbeiten, dem Einkaufen, den Vorbereitungen für das Abendessen fertig bin. Ich besorge auch die gesamte Wäsche des Haushalts. Zwischen sechzehn Uhr dreißig und siebzehn Uhr dreißig kümmere ich mich um meinen eigenen Haushalt und arbeite dann gewöhnlich noch eineinhalb bis zwei Stunden bei dem Rentnerehepaar Hiepertz. Samstags- und Sonntagsarbeit bekomme ich bei beiden gesondert bezahlt. In meiner freien Zeit arbeite ich gelegentlich beim Traiteur Kloft, oder ich helfe bei Empfängen, Parties, Hochzeiten, Gesellschaften, Bällen, meistens als frei angeworbene Wirtschafterin auf Pauschale und eigenes Risiko, manchmal auch im Auftrag der Firma Kloft. Ich arbeite in der Kalkulation, der organisatorischen Planung, gelegentlich auch als Köchin oder Serviererin. Meine Bruttoeinnahmen betragen im Durchschnitt 1800 bis 2300 Mark im Monat. Dem Finanzamt gegenüber gelte ich als freiberuflich. Ich zahle meine Steuern und Versicherungen selbst. Alle diese Dinge... Steuererklärung etc. werden kostenlos für mich durch das Büro Blorna erledigt. Seit dem Frühjahr 1972 besitze ich einen Volkswagen, Baujahr 1968, den mir der bei der Firma Kloft beschäftigte Koch Werner Klormer günstig überließ.

Es wurde für mich zu schwierig, die verschiedenen und auch wechselnden Arbeitsplätze mit den öffentlichen Verkehrsmitteln zu erreichen. Mit dem Auto wurde ich auch beweglich genug, auf Empfängen und bei Festlichkeiten mitzuarbeiten, die in weiter entfernt liegenden Hotels abgehalten wurden.«

16

Es dauerte von 11.30 bis 12.30 Uhr und, nach einer Unterbrechung von einer Stunde, von 13.30 bis 17.45 Uhr, bevor dieser Teil der Vernehmung abgeschlossen war. In der Mittagspause weigerte sich die Blum, Kaffee und Käsebrote von der Polizeiverwaltung anzunehmen, und auch das intensive Zureden der ihr offensichtlich wohlwollenden Frau Pletzer und des Assistenten Moeding konnten an ihrer Haltung nichts ändern. Es war ihr – wie Hach erzählte – offenbar unmöglich, das Dienstliche vom Privaten zu trennen, die Notwendigkeit der Vernehmung einzusehen. Als Beizmenne, der sich Kaffee und Brote schmecken ließ und mit geöffnetem Kragen und gelockerter Krawatte nicht nur väterlich wirkte, sondern wirklich väterlich wurde, bestand die Blum darauf, in ihre Zelle verbracht zu werden. Die beiden Polizeibeamten, die zu ihrer Bewachung abkommandiert waren, bemühten sich nachweislich, ihr Kaffee und Brote anzubieten, aber sie schüttelte hartnäckig den Kopf, saß auf ihrer Pritsche, rauchte eine Zigarette und äußerte durch Naserümpfen und Ekel bezeugendes Mienenspiel ihren Abscheu vor der noch mit Resten von Erbrochenem bekleckerten Toilette in der Zelle. Später gestattete sie Frau Pletzer, nachdem diese und die beiden jungen Beamten ihr zugeredet hatten, ihr den Puls zu fühlen, als der Puls sich als normal erwies, ließ sie sich dann auch herab, sich aus einem nahe gelegenen Café ein Stück Sandkuchen und eine Tasse Tee holen zu lassen, bestand aber darauf, das aus eigener Tasche zu bezahlen, obwohl einer der jungen Beamten, der am Morgen ihre Badezimmertüre bewacht hatte, während sie sich anzog, bereit war, ihr »einen auszugeben«. Das Urteil der beiden Polizeibeamten und der Frau Pletzer über diese Episode mit Katharina Blum: humorlos.

17

Zwischen 13.30 und 17.45 Uhr wurde die Vernehmung zur Person fortgesetzt, die Beizmenne gern kürzer gehabt hätte, die Blum aber bestand auf Ausführlichkeit, die ihr von den beiden Staatsanwälten zugestanden wurde, schließlich war auch Beizmenne – erst widerwillig, später einsichtigerweise wegen des gelieferten Hintergrundes, der ihm wichtig erschien – mit der Ausführlichkeit einverstanden.

Gegen 17.45 erhob sich nun die Frage, ob man die Vernehmung fortsetzen oder unterbrechen, ob man die Blum freilassen oder in eine Zelle verbringen solle. Sie hatte sich gegen 17.00 tatsächlich herbeigelassen, noch ein Kännchen Tee zu akzeptieren und ein belegtes Brötchen (Schinken) zu verzehren, und erklärte sich damit einverstanden, die Vernehmung fortzusetzen, da ihr Beizmenne nach Abschluß derselben Freilassung versprach. Es kam nun ihr Verhältnis zu Frau Woltersheim zur Sprache. Sie sei, sagte Katharina Blum, ihre Patentante, habe sich immer schon um sie gekümmert, sei eine entfernte Kusine ihrer Mutter; sie habe, als sie in die Stadt zog, sofort Kontakt mit ihr aufgenommen.

»Am 20. 2. war ich zu diesem Hausball eingeladen, der eigentlich am 21. 2., an Weiberfastnacht, hatte stattfinden sollen, dann aber vorverlegt wurde, weil Frau Woltersheim für Weiberfastnacht berufliche Verpflichtungen übernommen hatte. Es war das erste Tanzvergnügen, an dem ich seit vier

Jahren teilnahm. Ich korrigiere meine Aussage dahingehend: verschiedentlich, vielleicht zwei-, drei-, möglicherweise viermal habe ich bei Blornas mitgetanzt, wenn ich dort abends bei Gesellschaften aushalf. Zu vorgerückter Stunde, wenn ich mit Aufräumen und Abwaschen fertig war, wenn der Kaffee serviert war und Dr. Blorna die Bar übernommen hatte, holte man mich in den Salon, und ich tanzte dort mit Herrn Dr. Blorna und auch mit anderen Herren aus Akademiker-, Wirtschafts- und Politikerkreisen. Später bin ich nur noch sehr ungern oder zögernd, dann gar nicht mehr diesen Aufforderungen gefolgt, es kam, da die Herren oft angetrunken waren, auch dort zu Zudringlichkeiten. Genauer gesagt: Seitdem ich mein eigenes Auto besaß, habe ich diese Aufforderungen abgelehnt. Vorher war ich davon abhängig, daß einer der Herren mich nach Hause brachte. Auch mit diesem Herrn dort« – sie zeigte auf Hach, der tatsächlich errötete – »habe ich gelegentlich getanzt.« Die Frage, ob auch Hach zudringlich geworden sei, wurde nicht gestellt.

Die Dauer der Vernehmungen ließ sich daraus erklären, daß Katharina Blum mit erstaunlicher Pedanterie jede einzelne Formulierung kontrollierte, sich jeden Satz, so wie er ins Protokoll aufgenommen wurde, vorlesen ließ. Z. B. die im letzten Abschnitt erwähnten Zudringlichkeiten waren erst als Zärtlichkeiten ins Protokoll eingegangen bzw. zunächst in der Fassung, »daß die Herren zärtlich wurden«; wogegen sich Katharina Blum empörte und energisch wehrte. Es kam zu regelrechten Definitionskontroversen zwischen ihr und den Staatsanwälten, ihr und Beizmenne, weil Katharina behauptete, Zärtlichkeit sei eben eine beiderseitige und Zudringlichkeit eine einseitige Handlung, und um letztere habe es sich immer gehandelt. Als die Herren fanden, das sei doch alles nicht so wichtig und sie sei schuld, wenn die Vernehmung länger dauere, als üblich sei, sagte sie, sie würde kein Protokoll unterschreiben, in dem statt Zudringlichkeiten Zärtlichkeiten stehe. Der Unterschied sei für sie von entscheidender Bedeutung, und einer der Gründe, warum sie sich von ihrem Mann getrennt habe, hänge damit zusammen; der sei eben nie zärtlich, sondern immer zudringlich gewesen.

Ähnliche Kontroversen hatte es um das Wort

»gütig«, auf das Ehepaar Blorna angewandt, gegeben. Im Protokoll stand »nett zu mir«, die Blum bestand auf dem Wort gütig, und als ihr statt dessen gar das Wort gutmütig vorgeschlagen wurde, weil gütig so altmodisch klinge, war sie empört und behauptete, Nettigkeit und Gutmütigkeit hätten mit Güte nichts zu tun, als letzteres habe sie die Haltung der Blornas ihr gegenüber empfunden.

19

Inzwischen waren die Hausbewohner vernommen worden, von denen der größere Teil wenig oder gar nichts über Katharina Blum aussagen konnte; man habe sie gelegentlich im Aufzug getroffen, sich gegrüßt, wisse, daß ihr der rote Volkswagen gehöre, man habe sie für eine Chefsekretärin gehalten, andere für eine Abteilungsleiterin in einem Warenhaus; sie sei immer adrett, freundlich, wenn auch kühl gewesen. Von den Bewohnern der fünf Appartements im achten Stock, in dem Katharinas Wohnung lag, konnten nur zwei Näheres mitteilen. Die eine war die Inhaberin eines Frisiersalons, Frau Schmill, der andere war ein pensionierter Beamter vom Elektrizitätswerk namens Ruhwiedel, und das Verblüffende war die beiden Aussagen gemeinsame Behauptung, Katharina habe hin und wieder Herrenbesuch empfangen oder mitgebracht. Frau Schmill behauptete, der Besuch sei regelmäßig gekommen, so alle zwei, drei Wochen, und es sei ein etwa vierzigjähriger, sehr elastisch wirkender Herr aus »offensichtlich besseren« Kreisen gewesen, während Herr Ruhwiedel den Besucher als ziemlich jungen Schlacks bezeichnete, der einige Male allein, einige Male mit Fräulein Blum gemeinsam deren Wohnung betreten habe. Und zwar innerhalb der vergangenen zwei Jahre etwa acht- bis neunmal, »und das sind nur die Besuche, die ich beobachtet habe – über die, die ich nicht beobachtet habe, kann ich natürlich nichts sagen«.

Als Katharina am späten Nachmittag mit diesen Aussagen konfrontiert und aufgefordert wurde, dazu Stellung zu nehmen, war es Hach, der ihr, noch bevor er die Frage formulierte, entgegenzukommen versuchte und ihr nahelegte, ob diese Herrenbesuche etwa die Herren gewesen wären, die sie gelegentlich nach Hause gebracht hätten. Katharina, die über und über rot geworden war, aus Scham und aus Ärger, fragte spitz zurück, ob es etwa verboten sei, Herrenbesuche zu empfangen, und da sie die aus Freundlichkeit von ihm gebaute Brücke nicht betreten wollte oder gar nicht als solche erkannte, wurde auch Hach etwas spitzer und sagte, sie müsse sich klar darüber werden, daß man hier einen sehr ernsten Fall untersuche, nämlich den Fall Ludwig Götten, der weitverzweigt sei und Polizei und Staatsanwaltschaften schon über ein Jahr beschäftige, und er frage sie hiermit, ob es sich bei dem Herrenbesuch, den sie offenbar nicht ableugne, immer um ein und denselben Herrn gehandelt habe. Und hier nun griff Beizmenne brutal zu und sagte: »Sie kennen den Götten also schon zwei Jahre.«

Über diese Feststellung war Katharina so verblüfft, daß sie keine Antwort fand, Beizmenne nur kopfschüttelnd anblickte, und als sie dann ein erstaunlich mildes »Aber nein, nein, ich habe ihn erst gestern kennengelernt« herausstotterte, wirkte das nicht sehr überzeugend. Da sie nun aufgefordert wurde, den Herrenbesuch zu identifizieren, schüttelte sie »fast entsetzt« den Kopf und verweigerte darüber die Aussage. Nun wurde Beizmenne wieder väterlich und redete ihr zu, sagte, es sei doch gar nichts Schlimmes, wenn sie einen Freund habe, der – und hier machte er einen entscheidenden psychologischen Fehler – nicht zudringlich, sondern vielleicht zärtlich zu ihr gewesen sei; sie sei ja geschieden und nicht mehr zur Treue verpflichtet, und es sei nicht einmal – der dritte entscheidende Fehler! – verwerflich, wenn

da möglicherweise bei unzudringlichen Zärtlichkeiten gewisse materielle Vorteile heraussprängen.
Und damit war Katharina Blum endgültig ver-
bockt. Sie verweigerte weiterhin die Aussage und
bestand darauf, in eine Zelle oder nach Hause verbracht zu werden. Zur Verblüffung aller Anwesenden erklärte Beizmenne, milde und müde – es
war inzwischen 20.40 Uhr geworden –, er lasse sie
durch einen Beamten nach Hause bringen. Dann
aber, als sie schon aufgestanden war und ihre
Handtasche, den Toilettenbeutel und die Plastiktüte zusammenraffte, fragte er sie ganz plötzlich
und hart: »Wie ist er bloß diese Nacht aus dem
Haus herausgekommen, Ihr zärtlicher Ludwig?
Alle Eingänge, alle Ausgänge waren bewacht – Sie,
Sie müssen einen Weg gewußt und ihn ihm gezeigt
haben, und ich werde es herausbekommen. Auf
Wiedersehen.«

20

Moeding, Beizmennes Assistent, der Katharina
nach Hause fuhr, berichtete später, er sei über den
Zustand der jungen Frau sehr beunruhigt und
fürchte, daß sie sich etwas antun könne; sie sei
völlig zerschmettert, fix und fertig, und habe über-

raschenderweise ausgerechnet in diesem Zustand Humor gezeigt oder erst entwickelt. Als er mit ihr durch die Stadt gefahren sei, habe er sie scherzhaft gefragt, ob es nicht doch nett wäre, wenn man jetzt unbefangen und ohne Hintergedanken irgendwo einen trinken und zusammen tanzen gehen könne, und sie habe genickt und gesagt, das wäre nicht übel, vielleicht sogar nett, und später vor ihrem Haus, als er ihr angeboten habe, sie nach oben bis vor ihre Türe zu bringen, habe sie sarkastisch gesagt: »Ach, besser nicht, ich habe Herrenbesuch genug, wie Sie wissen – aber trotzdem danke.«

Moeding versuchte den ganzen Abend und die halbe Nacht über, Beizmenne davon zu überzeugen, daß man Katharina Blum inhaftieren müsse, zu ihrem eigenen Schutz, und als Beizmenne ihn fragte, ob er etwa verliebt sei, sagte er, nein, er habe sie nur gern, und sie sei gleichaltrig mit ihm, und er glaube nicht an Beizmennes Theorie von einer großen Verschwörung, in die Katharina verwickelt sei.

Was er nicht berichtete und was doch durch Frau Woltersheim Blorna bekannt wurde, waren die beiden Ratschläge, die er Katharina gab, die er immerhin durchs Foyer bis an den Aufzug begleitete, ziemlich heikle Ratschläge, die ihn hätten teuer zu stehen kommen können, und außerdem für ihn und seine Kollegen lebensgefährlich; er sagte nämlich zu Katharina, als sie vor dem Aufzug standen: »Lassen Sie die Finger vom Telefon und schlagen Sie morgen keine Zeitung auf«, wobei nicht klar war, ob er die ZEITUNG meinte oder Zeitungen schlechthin.

21

Es war etwa gegen 15.30 Uhr des nämlichen Tages (Donnerstag, dem 21. 2. 74), als Blorna sich in seinem Urlaubsort zum erstenmal die Skier anschnallte und zu einer längeren Wanderung aufbrechen wollte. Von diesem Augenblick an war sein Urlaub, auf den er sich so lange gefreut hatte, vermasselt. Schön gewesen war der lange Abendspaziergang am Abend vorher, kurz nach der Ankunft, mit Trude zwei Stunden lang durch den Schnee, dann die Flasche Wein am brennenden Kamin und der tiefe Schlaf bei offenem Fenster; das erste Frühstück im Urlaub, lang hinausgezogen, und noch einmal für ein paar Stunden dick eingewickelt auf der Terrasse im Korbstuhl, und dann eben, genau in dem Augenblick, als er loswandern wollte, war dieser Kerl von der ZEITUNG aufgetaucht und hatte ihn, ohne jede Vorbereitung, auf Katharina angequatscht. Ob er sie eines Verbrechens für fähig halte? »Wieso«, sagte er, »ich bin Anwalt, und ich weiß, wer alles eines Verbrechens fähig ist. Welches Verbrechen denn? Katharina? Undenkbar, wie kommen Sie darauf? Woher wissen Sie?« Als er schließlich erfuhr, daß ein lange gesuchter Bandit nachweislich bei Katharina übernachtet habe und sie seit ungefähr 11 Uhr früh streng vernommen werde, hatte er vorgehabt, sofort zurückzufliegen und ihr beizustehen, aber der Kerl von der ZEITUNG – sah er wirklich so schmierig aus, oder fand er das erst später? – sagte, so schlimm sei es nun wieder nicht, und ob er ihm nicht ein paar Charaktereigenschaften nennen könne. Und als er sich weigerte, meinte der Kerl, das sei aber ein schlechtes Zeichen und könne bös mißdeutet werden, denn Schweigen über ihren Charakter sei in einem solchen Fall, und es handele sich um eine »front-page-story«, eindeutig ein Hinweis auf einen schlechten Charakter, und schon wütend und sehr gereizt sagte Blorna: »Katharina ist eine sehr kluge und kühle Person« und ärgerte sich, weil auch das nicht stimmte und nicht andeutungsweise ausdrückte, was er hatte sagen wollen und hätte sagen müssen. Er hatte noch nie mit Zeitungen und schon gar nicht mit der ZEITUNG zu tun gehabt, und als der Kerl in seinem Porsche wieder abfuhr, schnallte Blorna die Skier wieder ab und wußte, daß der Urlaub hinüber war. Er ging zu Trude hinauf, die in Decken gehüllt wohlig, halb schlafend auf dem Balkon in der Sonne lag. Er erzählte es ihr. »Ruf doch mal an«, sagte sie, und er versuchte anzurufen, dreimal, viermal, fünfmal, aber er bekam immer die Auskunft »Teilnehmer meldet sich nicht«. Er versuchte gegen elf abends noch einmal anzurufen, aber wieder meldete sich niemand. Er trank viel und schlief schlecht.

22

Als er Freitag früh gegen halb zehn mürrisch zum Frühstück erschien, hielt Trude ihm schon die ZEITUNG entgegen. Katharina auf der Titelseite. Riesenfoto, Riesenlettern. *RÄUBERLIEBCHEN KATHARINA BLUM VERWEIGERT AUSSAGE ÜBER HERREN-BESUCHE. Der seit einenhalb Jahren gesuchte Bandit und Mörder Ludwig Götten hätte gestern verhaftet werden können, hätte nicht seine Geliebte, die Hausangestellte Katharina Blum, seine Spuren verwischt und seine Flucht gedeckt. Die Polizei vermutet, daß die Blum schon seit längerer Zeit in die Verschwörung verwickelt ist. (Weiteres siehe auf der Rückseite unter dem Titel: HERRENBESUCHE.)*

Dort auf der Rückseite las er dann, daß die ZEI-
TUNG aus seiner Äußerung, Katharina sei klug
und kühl, »eiskalt und berechnend« gemacht hatte
und aus seiner generellen Äußerung über Krimi-
nalität, daß sie »durchaus eines Verbrechens fähig
sei«.

*Der Pfarrer von Gemmelsbroich hatte ausge-
sagt: »Der traue ich alles zu. Der Vater war ein
verkappter Kommunist und ihre Mutter, die ich
aus Barmherzigkeit eine Zeitlang als Putzhilfe beschäftigte, hat Meßwein gestohlen und in der Sakristei mit ihren Liebhabern Orgien gefeiert.«*

*Die Blum erhielt seit zwei Jahren regelmäßig
Herrenbesuch. War ihre Wohnung ein Konspira-
tionszentrum, ein Bandentreff, ein Waffenum-
schlagplatz? Wie kam die erst siebenundzwanzig-
jährige Hausangestellte an eine Eigentumswohnung im Werte von schätzungsweise 110 000 Mark?
War sie an der Beute aus den Bankrauben beteiligt?
Polizei ermittelt weiter. Staatsanwaltschaft arbeitet
auf Hochtouren. Morgen mehr. DIE ZEITUNG
BLEIBT WIE IMMER AM BALL! Sämtliche
Hintergrundinformationen in der morgigen Wo-
chenendausgabe.*

Am Nachmittag auf dem Flugplatz rekonstru-
ierte Blorna, was dann kurz hintereinander ge-
schehen war.

10.25 Anruf des sehr aufgeregten Lüding, der

mich beschwor, sofort zurückzukommen und mit dem ebenfalls sehr aufgeregten Alois in Verbindung zu treten. Alois, angeblich total aufgelöst – was ich bei ihm noch nie erlebt habe, mir deshalb unwahrscheinlich vorkommt –, zur Zeit auf einer Tagung für christliche Unternehmer in Bad Bedelig, wo er das Hauptreferat halten und die Grundsatzdiskussion leiten muß.

10.40 Anruf von Katharina, die mich fragte, ob ich das wirklich so gesagt hätte, wie es in der ZEITUNG stand. Froh darüber, sie aufklären zu können, erklärte ich ihr den Zusammenhang, und sie sagte (aus dem Gedächtnis protokolliert) etwa folgendes: »Ich glaub's Ihnen, ich glaub's, ich weiß ja jetzt, wie diese Schweine arbeiten. Heute morgen haben sie sogar meine schwerkranke Mutter, Brettloh und andere Leute aufgestöbert.« Als ich sie fragte, wo sie sei, sagte sie: »Bei Else, und jetzt muß ich wieder zur Vernehmung.«

11.00 Anruf von Alois, den ich wirklich zum erstenmal im Leben – und ich kenne ihn seit 20 Jahren – aufgeregt und in Angst sah. Sagte, ich müsse sofort zurückkommen, um ihn als Mandanten in einer sehr heiklen Sache zu übernehmen. Er müsse jetzt sein Referat halten, dann mit den Unternehmern essen, später die Diskussion leiten und abends an einem zwanglosen Beisammensein teilnehmen, könne aber so zwischen 7½ und 9½ bei uns zu Hause sein, später dann noch zu dem zwanglosen Beisammensein stoßen.

11.30 Trude findet auch, daß wir sofort abreisen und Katharina beistehen müssen. Wie ich ihrem ironischen Lächeln entnehme, hat sie bereits eine (wahrscheinlich, wie immer) zutreffende Theorie über Alois' Schwierigkeiten.

12.15 Buchungen erledigt, gepackt, Rechnung bezahlt. Nach knapp 40stündigem Urlaub im Taxi nach I. Dort auf dem Flugplatz 14.00 bis 15.00 Uhr im Nebel gewartet. Langes Gespräch mit Trude über Katharina, an der ich, wie Trude weiß, sehr, sehr hänge. Sprachen auch darüber, wie wir Katharina ermuntert hatten, nicht so zimperlich zu sein, ihre unglückselige Kindheit und die vermurkste Ehe zu vergessen. Wie wir versucht haben, ihren Stolz, wenn es um Geld geht, zu überwinden und ihr von unserem eigenen Konto einen billigeren Kredit als den der Bank zu geben. Selbst die Erklärung und die Einsicht, daß sie uns, wenn sie uns statt der 14%, die sie zahlen muß, 9% gibt, nicht einmal einen Verlust bereitet, sie aber viel Geld spart, hatte sie nicht überzeugt. Wie wir Katharina zu Dank verpflichtet sind: Seit sie ruhig und freundlich, auch planvoll unseren Haushalt leitet, sind nicht nur unsere Unkosten erheblich gesunken, sie hat uns auch beide für unsere berufliche Arbeit so frei gemacht, daß wir es kaum in

Geld ausdrücken können. Sie hat uns von dem fünfjährigen Chaos befreit, das unsere Ehe und unsere berufliche Arbeit so belastet hat.

Entschließen uns gegen 16.30 Uhr, da der Nebel sich nicht zu lichten scheint, doch mit dem Zug zu fahren. Auf Rat von Trude rufe ich Alois Sträubleder *nicht* an. Taxi zum Bahnhof, wo wir den 17.45 nach Frankfurt noch erwischen. Elende Fahrt – Übelkeit, Nervosität. Sogar Trude ernst und erregt. Sie wittert großes Unheil. Total erschöpft dann doch in München umgestiegen, wo wir einen Schlafwagen erwischten. Erwarten beide Kummer mit und um Katharina, Ärger mit Lüding und Sträubleder.

23

Schon am Samstagmorgen am Bahnhof der Stadt, die immer noch saisongemäß fröhlich war, völlig zerknittert und elend, schon auf dem Bahnsteig des Bahnhofs die ZEITUNG und wieder mit Katharina auf dem Titel, diesmal, wie sie in Begleitung eines Kriminalbeamten in Zivil die Treppe des Präsidiums herunterkam. *MÖRDERBRAUT IMMER NOCH VERSTOCKT! KEIN HINWEIS AUF GÖTTENS VERBLEIB! POLIZEI IN GROSSALARM.*

Sträubleder - Kollege
Blorna erwartet ärger mit ihm

Trude kaufte das Ding, und sie fuhren schweigend im Taxi nach Hause, und als er den Fahrer bezahlte, während Trude die Haustür aufschloß, wies der Fahrer auf die ZEITUNG und sagte: »Sie sind auch drin, ich hab' Sie gleich erkannt. Sie sind doch der Anwalt und Arbeitgeber von diesem Nüttchen.« Er gab viel zuviel Trinkgeld, und der Fahrer, dessen Grinsen gar nicht so schadenfroh war, wie seine Stimme klang, brachte ihm Koffer, Taschen und Skier noch bis in die Diele und sagte freundlich »Tschüs«.

Trude hatte schon die Kaffeemaschine eingestöpselt und wusch sich im Bad. Die ZEITUNG lag im Salon auf dem Tisch und zwei Telegramme, eins von Lüding, das andere von Sträubleder. Von Lüding: »Sind gelinde gesagt enttäuscht, weil kein Kontakt. Lüding.« Von Sträubleder: »Kann nicht begreifen, daß Du mich so im Stich läßt. Erwarte sofort Anruf. Alois.«

Es war gerade acht Uhr fünfzehn und fast genau die Zeit, zu der ihnen sonst Katharina das Frühstück servierte: Hübsch, wie sie immer den Tisch deckte, mit Blumen und frisch gewaschenen Tüchern und Servietten, vielerlei Brot und Honig, Eiern und Kaffee und für Trude Toast und Orangenmarmelade.

Sogar Trude war fast sentimental, als sie die Kaffeemaschine, ein bißchen Knäckebrot, Honig und Butter brachte. »Es wird nie mehr so sein, nie mehr. Sie machen das Mädchen fertig. Wenn nicht die Polizei, dann die ZEITUNG, und wenn die ZEITUNG die Lust an ihr verliert, dann machen's die Leute. Komm, lies das jetzt erst mal, und dann erst ruf die Herrenbesucher an.« Er las:

Der ZEITUNG, stets bemüht, Sie umfassend zu informieren, ist es gelungen, weitere Aussagen zu sammeln, die den Charakter der Blum und ihre undurchsichtige Vergangenheit beleuchten. Es gelang ZEITUNGS-Reportern, die schwerkranke Mutter der Blum ausfindig zu machen. Sie beklagte sich zunächst darüber, daß ihre Tochter sie seit langer Zeit nicht mehr besucht hat. Dann, mit den unumstößlichen Fakten konfrontiert, sagte sie: »So mußte es ja kommen, so mußte es ja enden.« Der ehemalige Ehemann, der biedere Textilarbeiter Wilhelm Brettloh, von dem die Blum wegen böswilligen Verlassens schuldig geschieden ist, gab der ZEITUNG noch bereitwilliger Auskunft. »Jetzt«, sagte er, die Tränen mühsam zurückhaltend, »weiß ich endlich, warum sie mir tritschen gegangen ist. Warum sie mich sitzengelassen hat. DAS war's also, was da lief. Nun wird mir alles klar. Unser bescheidenes Glück genügte ihr nicht. Sie wollte hoch hinaus, und wie soll schon ein redlicher, bescheidener Arbeiter je zu einem Porsche kommen. Vielleicht (fügte er weise hinzu) können

49

Ex-Mann

Sie den Lesern der ZEITUNG meinen Rat übermitteln: So müssen falsche Vorstellungen von Sozialismus ja enden. Ich frage Sie und Ihre Leser: Wie kommt ein Dienstmädchen an solche Reichtümer. Ehrlich erworben kann sie's ja nicht haben. Jetzt weiß ich, warum ich ihre Radikalität und Kirchenfeindlichkeit immer gefürchtet habe, und ich segne den Entschluß unseres Herrgotts, uns keine Kinder zu schenken. Und wenn ich dann noch erfahre, daß ihr die Zärtlichkeiten eines Mörders und Räubers lieber waren als meine unkomplizierte Zuneigung, dann ist auch dieses Kapitel geklärt. Und dennoch möchte ich ihr zurufen: Meine kleine Katharina, wärst du doch bei mir geblieben. Auch wir hätten es im Laufe der Jahre zu Eigentum und einem Kleinwagen gebracht, einen Porsche hätte ich dir wohl nie bieten können, nur ein bescheidenes Glück, wie es ein redlicher Arbeitsmann zu bieten hat, der der Gewerkschaft mißtraut. Ach, Katharina.«

Unter der Überschrift: »Rentnerehepaar ist entsetzt, aber nicht überrascht«, fand Blorna noch auf der letzten Seite eine rot angestrichene Spalte:

Der pensionierte Studiendirektor Dr. Berthold Hiepertz und Frau Erna Hiepertz zeigten sich entsetzt über die Aktivitäten der Blum, aber nicht »sonderlich überrascht«. In Lemgo, wo eine Mitarbeiterin der ZEITUNG sie bei ihrer verheirateten

Tochter, die dort ein Sanatorium leitet, aufsuchte, äußerte der Altphilologe und Historiker Hiepertz, bei dem die Blum seit 3 Jahren arbeitet: »Eine in jeder Beziehung radikale Person, die uns geschickt getäuscht hat.«

(Hiepertz, mit dem Blorna später telefonierte, schwor, folgendes gesagt zu haben: »Wenn Katharina radikal ist, dann ist sie radikal hilfsbereit, planvoll und intelligent – ich müßte mich schon sehr in ihr getäuscht haben, und ich habe eine vierzigjährige Erfahrung als Pädagoge hinter mir und habe mich selten getäuscht.«)

Fortsetzung von Seite 1:

Der völlig gebrochene ehemalige Ehemann der Blum, den die ZEITUNG anläßlich einer Probe des Trommler- und Pfeiferkorps Gemmelsbroich aufsuchte, wandte sich ab, um seine Tränen zu verbergen. Auch die übrigen Vereinsmitglieder wandten sich, wie Altbauer Meffels es ausdrückte, mit Grausen von Katharina ab, die immer so seltsam gewesen sei und immer so prüde getan habe. Die harmlosen Karnevalsfreuden eines redlichen Arbeiters jedenfalls dürften getrübt sein.

Schließlich ein Foto von Blorna und Trude, im Garten am Swimming-pool. Unterschrift: »Welche Rolle spielt die Frau, die einmal als die ›rote Trude‹ bekannt war, und ihr Mann, der sich gelegentlich als ›links‹ bezeichnet. Hochbezahlter In-

Hiepertz.

dustrieanwalt Dr. Blorna mit Frau Trude vor dem
Swimming-pool der Luxusvilla.«

24

Hier muß eine Art Rückstau vorgenommen werden, etwas, das man im Film und in der Literatur
Rückblende nennt: vom Samstagmorgen, an dem
das Ehepaar Blorna zerknittert und ziemlich ver-
zweifelt aus dem Urlaub zurückkam, auf den Freitagmorgen, an dem Katharina erneut zum Verhör
aufs Präsidium geholt wurde; diesmal durch Frau
Pletzer und einen älteren Beamten, der nur leicht
bewaffnet war, und nicht aus ihrer eigenen Wohnung wurde sie geholt, sondern aus der Wohnung
der Frau Woltersheim, zu der Katharina morgens
gegen fünf Uhr, diesmal in ihrem Auto, gefahren
war. Die Beamtin machte kein Hehl daraus, daß
ihr bekannt war, sie würde Katharina nicht zu
Hause, sondern bei der Woltersheim finden. (Gerechterweise sollte man nicht vergessen, die Opfer
und Strapazen des Ehepaars Blorna noch einmal
ins Gedächtnis zu rufen: Abbruch des Urlaubs,
Taxifahrt zum Flugplatz in I. Warten im Nebel.
Taxi zum Bahnhof. Zug nach Frankfurt, dann aber
Umsteigen in München. Im Schlafwagen elend ge-

schüttelt, und am frühen Morgen, soeben zu Hause angekommen, schon mit der ZEITUNG konfrontiert! Später – zu spät natürlich – bereute Blorna, daß er nicht statt Katharina, von der er ja durch den ZEITUNGS-Kerl wußte, daß sie vernommen wurde, Hach angerufen hatte.)

Was allen, die an der zweiten Vernehmung von Katharina am Freitag teilnahmen – wiederum Moeding, die Pletzer, die Staatsanwälte, Dr. Korten und Hach, die Protokollführerin Anna Lockster, die die sprachliche Sensibilität der Blum als lästig empfand und als »affig« bezeichnete –, was allen auffiel, war Beizmennes geradezu strahlende Laune. Er betrat händereibend den Verhandlungsraum, behandelte Katharina geradezu zuvorkommend, entschuldigte sich für »gewisse Grobheiten«, die nicht seinem Amt, sondern seiner Person entsprächen, er sei nun einmal ein etwas ungeschliffener Kerl, und nahm zunächst die inzwischen erstellte Liste der beschlagnahmten Gegenstände vor; es handelte sich um:

1. Ein kleines, abgenutztes grünes Notizbuch kleinen Formats, das ausschließlich Telefonnummern enthielt, die inzwischen überprüft worden waren und keinerlei Verfänglichkeiten ergeben hatten. Offenbar benutzte Katharina Blum dieses Notizbuch schon seit fast zehn Jahren. Ein Schriftsachverständiger, der nach schriftlichen

Spuren von Götten gesucht hatte (Götten war u. a. Bundeswehrdeserteur und hatte in einem Büro gearbeitet, also viele handschriftliche Spuren hinterlassen), hatte die Entwicklung ihrer Handschrift als gerade schulbeispielhaft bezeichnet. Das sechzehnjährige Mädchen, das die Telefonnummer des Metzgers Gerbers notiert hatte, die Siebzehnjährige, die die Nummer des Arztes Dr. Kluthen, die Zwanzigjährige bei Dr. Fehnern – und später die Nummern und Adressen von Traiteuren, Restaurateuren, Kollegen.

2. Kontoauszüge der Sparkasse, auf denen jede Um- oder Abbuchung durch handschriftliche Randnotizen der Blum genau identifiziert waren. Einzahlungen, Abbuchungen – alles korrekt und keine der bewegten Summen verdächtig. Dasselbe traf auf ihre Buchführung zu und auf Notizen und Mitteilungen, die in einem kleinen Hefter enthalten waren, wo sie den Stand ihrer Verpflichtungen gegenüber der Firma »Haftex« gebucht hatte, von der sie ihre Eigentumswohnung in »Elegant am Strom wohnen« erworben hatte. Auch ihre Steuererklärungen, Steuerbescheide, Steuerzahlungen waren genauestens geprüft und durch einen Bilanzfachmann durchgesehen worden, der nirgendwo eine »versteckte größere Summe« hatte ausfindig machen können. Beizmenne hatte Wert darauf gelegt, ihre finanziellen Transaktionen besonders

im Zeitraum der letzten zwei Jahre, die er scherzhaft als »Herrenbesuchszeit« bezeichnete, zu prüfen. Nichts. Es ergab sich immerhin, daß Katharina ihrer Mutter monatlich 150 DM überwies, daß sie das Grab ihres Vaters in Gemmelsbroich durch ein Abonnement der Firma Kolter in Kuir pflegen ließ. Ihre Möbelanschaffungen, Hausgeräte, Kleider, Unterwäsche, Benzinrechnungen, alles geprüft und nirgendwo eine Lücke entdeckt. Der Buchhaltungsfachmann hatte, als er Beizmenne die Akten zurückgab, gesagt: »Mensch, wenn die freikommt und sucht mal 'ne Stelle – gib mir 'nen Tip. So was sucht man ständig und findet es nicht.« Auch die Telefonrechnungen der Blum ergaben keine Verdachtsmomente. Offenbar hatte sie Ferngespräche kaum geführt.

Bemerkt worden war auch, daß Katharina Blum ihrem Bruder Kurt, der zur Zeit wegen Einbruchdiebstahls einsaß, gelegentlich kleinere Summen zwischen 15 und 30 DM zur Aufbesserung seines Taschengeldes überwies.

Kirchensteuer zahlte die Blum nicht. Sie war, wie aus ihren Finanzakten ersichtlich, schon als Neunzehnjährige im Jahre 1966 aus der kath. Kirche ausgetreten.

3. Ein weiteres kleines Notizbuch mit verschiedenen Eintragungen, hauptsächlich rechnerischer Art, enthielt vier Rubriken: eine für den Haushalt

Blorna mit Ab- und Zusammenrechnungen über Lebensmitteleinkäufe und Auslagen für Putzmittel, Reinigungsanstalten, Wäschereien. Dabei wurde festgestellt, daß Katharina die Wäsche eigenhändig bügelte.

Die zweite für den Haushalt Hiepertz mit entsprechenden Angaben und Berechnungen.

Eine weitere für den eigenen Haushalt der Blum, den diese offenbar mit geringen Mitteln bestritt; es fanden sich Monate, in denen sie etwa für Lebensmittel kaum 30–50 DM ausgegeben hatte. Sie schien allerdings – Fernsehen hatte sie nicht – öfters ins Kino zu gehen und sich hin und wieder Schokolade, sogar Pralinen zu kaufen.

Die vierte Rubrik enthielt Einnahmen und Ausgaben, die mit den Extrabeschäftigungen der Blum zusammenhingen, betrafen Anschaffungs- und Reinigungskosten für Berufskleidung, anteilige Unkosten für den Volkswagen. Hier – bei den Bezinrechnungen – hakte Beizmenne mit einer Freundlichkeit, die alle überraschte, ein und fragte sie, woher die relativ hohen Benzinkosten kämen, die übrigens mit der auffallend hohen Ziffer zusammenhingen, die ihr Kilometerzähler aufweise. Man habe festgestellt, daß die Entfernung zu Blorna hin und zurück etwa 6, die Entfernung zu Hiepertz hin und zurück etwa 8, zu Frau Woltersheim etwa 4 km betrage, und wenn man im Durch-

schnitt, was großzügig berechnet sei, eine Extrabeschäftigung wöchentlich veranschlage und dafür, was ebenfalls großzügig sei, 20 km veranschlage, was umgelegt auf die Wochentage etwa 3 km
ausmache, so käme man auf etwa 21–22 km täglich, dabei sei zu bedenken, daß sie ja die Woltersheim nicht täglich besuche, aber man wolle darüber hinwegsehen. Man käme also auf etwa
8000 km jährlich, sie – Katharina Blum – habe
aber, wie aus der schriftlichen Abmachung mit
dem Koch Klormer ersichtlich sei, den VW vor
zwei Jahren bei einem Kilometerstand von 56000
übernommen. Rechne man nun 2 × 8000 hinzu,
so müsse ihr Kilometerstand jetzt etwa bei 72000
liegen, in Wirklichkeit aber betrage er fast
102000 km. Nun sei bekannt, daß sie zwar hin
und wieder ihre Mutter in Gemmelsbroich und
später im Sanatorium in Kuir-Hochsackel besucht
habe, wohl auch manchmal ihren Bruder im Gefängnis – aber die Entfernung Gemmelsbroich
bzw. Kuir-Hochsackel betrage hin und zurück etwa 50 km und zu ihrem Bruder etwa 60 km, und
wenn man nun monatlich je einen oder, großzügig, monatlich zwei Besuche rechne – und ihr Bruder sitze ja erst eineinhalb Jahre, er habe vorher
bei der Mutter in Gemmelsbroich gewohnt –, nun,
so käme man – immer auf zwei Jahre berechnet –
auf weitere 4000–5000 km und es blieben da noch

etwa 25 000 km ungeklärt bzw. ungedeckt. Wo sie denn so oft hingefahren sei. Ob sie – er wolle nun wirklich nicht wieder mit groben Andeutungen kommen, aber sie müsse seine Frage verstehen – dann vielleicht jemanden oder mehrere irgendwo und wo – getroffen habe?

Fasziniert, auch entsetzt hörte nicht nur Katharina Blum, auch alle anderen Anwesenden hörten dieser mit sanfter Stimme von Beizmenne vorgebrachten Berechnung zu, und es scheint so, als habe die Blum, während Beizmenne ihr das alles vorrechnete und vorhielt, nicht einmal Ärger empfunden, sondern lediglich eine mit Entsetzen und Faszination gemischte Spannung, weil sie, während er sprach, nicht etwa nach einer Erklärung für die 25 000 km suchte, sondern sich selbst darüber klarzuwerden versuchte, wo und wann sie warum wohin gefahren war. Sie war schon, als sie sich zur Vernehmung hinsetzte, überraschend wenig spröde, fast »weich« gewesen, sogar ängstlich hatte sie gewirkt, hatte Tee angenommen und nicht einmal darauf bestanden, ihn selbst zu bezahlen. Und jetzt, als Beizmenne mit seinen Fragen und Berechnungen fertig war, herrschte – nach der Aussage mehrerer, *fast* aller anwesenden Personen – Totenstille, als ahne man, daß hier jemand auf Grund einer Feststellung, die – wären nicht die Benzinrechnungen gewesen – leicht hätte übersehen werden können, tatsächlich in ein intimes Geheimnis der Blum, deren Leben sich bisher so übersichtlich dargestellt hatte, eingedrungen sei.

»Ja«, sagte Katharina Blum, und von hier an wurde ihre Aussage protokolliert und liegt als solche vor, »das stimmt, das sind pro Tag – ich habe das jetzt rasch im Kopf nachgerechnet, über 30 Kilometer. Ich habe nie darüber nachgedacht, und auch die Unkosten nie bedacht, aber ich bin manchmal einfach losgefahren, einfach los und drauflos, ohne Ziel, d.h. – irgendwie ergab sich ein Ziel, d.h., ich fuhr in eine Richtung, die sich einfach so ergab, nach Süden Richtung Koblenz oder nach Westen Richtung Aachen oder runter zum Niederrhein. Nicht täglich. Ich kann nicht sagen, wie oft und in welchen Abständen. Meistens, wenn es regnete und wenn ich Feierabend hatte und allein war. Nein, ich korrigiere meine Aussage: Immer nur, wenn es regnete, bin ich losgefahren. Ich weiß nicht genau, warum. Sie müssen wissen, daß ich manchmal, wenn ich nicht zu Hiepertz mußte und keine Extrabeschäftigung fällig war, schon um fünf Uhr zu Hause war und nichts zu tun hatte. Ich wollte doch nicht immer zu Else, besonders nicht, seitdem sie mit Konrad so befreundet ist, und auch allein ins Kino gehen ist für eine alleinstehende Frau nicht immer so risikolos.

Manchmal habe ich mich auch in eine Kirche gesetzt, nicht aus religiösen Gründen, sondern weil man da Ruhe hat, aber auch in Kirchen werden Sie neuerdings angequatscht, und nicht nur von Laien. Ich habe natürlich ein paar Freunde: Werner Klormer zum Beispiel, von dem ich den Volkswagen gekauft habe, und seine Frau, und auch andere Angestellte bei Kloft, aber es ist ziemlich schwierig und meistens peinlich, wenn man allein kommt und nicht unbedingt, oder besser: nicht bedingungslos jeden Anschluß wahrnimmt oder sucht. Und dann bin ich eben einfach ins Auto gestiegen, habe mir das Radio angemacht und bin losgefahren, immer über Landstraßen, immer im Regen, und am liebsten waren mir die Landstraßen mit Bäumen – manchmal bin ich bis Holland oder Belgien durch, habe da Kaffee oder auch Bier getrunken und bin wieder zurück. Ja. Jetzt, wo Sie mich fragen, wird es mir erst klar. So – wenn Sie mich fragen, wie oft – ich würde sagen: zweimal, dreimal im Monat – manchmal auch seltener, machmal öfter und meistens stundenlang, bis ich um neun oder zehn, manchmal auch erst gegen elf todmüde wieder nach Hause kam. Es war wohl auch Angst: Ich kenne so viele alleinstehende Frauen, die sich abends allein vor dem Fernseher betrinken.«

Das milde Lächeln, mit dem Beizmenne die Erklärung kommentarlos zur Kenntnis nahm, ließ keinen Schluß auf seine Gedanken zu. Er nickte nur, und wenn er sich wieder einmal die Hände rieb, dann wohl, weil die Auskunft von Katharina Blum eine seiner Theorien bestätigt hatte. Es blieb eine Weile sehr still, als wären die Anwesenden überrascht oder peinlich berührt; es schien, als habe die Blum zum erstenmal etwas aus ihrer Intimsphäre preisgegeben. So wurden denn auch die Erläuterungen zu den weiteren beschlagnahmten Gegenständen rasch erledigt.

4. Ein Fotoalbum enthielt nur Fotografien von Personen, die leicht zu identifizieren waren. Den Vater von Katharina Blum, der kränklich und verbittert wirkte und weitaus älter aussah, als er gewesen sein konnte. Ihre Mutter, von der sich herausstellte, daß sie krebskrank war und im Sterben lag. Ihr Bruder. Sie selbst, Katharina mit vier, mit sechs Jahren, als Erstkommunikantin mit zehn, als Jungverheiratete mit zwanzig; ihr Mann, der Pfarrer von Gemmelsbroich, Nachbarn, Verwandte, verschiedene Fotos von Else Woltersheim, dann ein zunächst nicht identifizierbarer älterer Herr, der recht munter wirkte und von dem sich herausstellte, daß er Dr. Fehnern, der straffällig gewordene Wirtschaftsprüfer, war. Kein Foto irgendeiner Person, die in Zusammenhang mit Beizmennes Theorien gebracht werden konnte.

5. Ein Reisepaß auf den Namen Katharina Brettloh geb. Blum. Im Zusammenhang mit dem Paß wurden Fragen nach Reisen gestellt, und es erwies sich, daß Katharina noch nie »richtig verreist« gewesen war und bis auf einige Tage, an denen sie krank gewesen war, immer gearbeitet hatte. Sie hatte sich ihr Urlaubsgeld bei Fehnern und Blorna zwar auszahlen lassen, aber entweder weitergearbeitet oder Aushilfsstellen angenommen.

6. Eine alte Pralinenschachtel. Inhalt: einige Briefe, kaum ein Dutzend, von ihrer Mutter, ihrem Bruder, ihrem Mann, Frau Woltersheim. Kein Brief enthielt irgendeinen Hinweis im Zusammenhang mit dem gegen sie bestehenden Verdacht. Außerdem enthielt die Pralinenschachtel noch ein paar lose Fotos von ihrem Vater als Gefreiten der Deutschen Wehrmacht, ihrem Mann in der Uniform des Trommlerkorps, ein paar abgerissene Kalenderblätter mit Sprichwörtern, eine ziemlich umfangreiche, handgeschriebene Sammlung eigener Rezepte und eine Broschüre ›Über die Verwendung von Sherry in Soßen‹.

7. Einen Aktenordner mit Zeugnissen, Diplomen, Urkunden, den gesamten Scheidungsakten und den notariellen Urkunden, die ihre Eigentumswohnung betrafen.

8. Drei Schlüsselbünde, die inzwischen über-

prüft worden waren. Es handelte sich um Haus- und Schrankschlüssel zu ihrer eigenen Wohnung, zu Blornas und Hiepertz' Wohnung.

Es wurde festgestellt und protokollarisch festgehalten, daß unter den oben aufgeführten Gegenständen kein verdächtiger Anhaltspunkt gefunden worden sei; die Erklärung von Katharina Blum über ihren Benzinverbrauch und ihre Fahrtkilometer wurde kommentarlos akzeptiert.

Erst in diesem Augenblick zog Beizmenne einen mit Brillanten besetzten Rubinring aus der Tasche, den er offenbar lose dort aufbewahrt hatte, denn er putzte ihn am Rockärmel blank, bevor er ihn Katharina hinhielt. »Ist Ihnen dieser Ring bekannt?«

»Ja«, sagte sie ohne Zögern und Verlegenheit.

»Gehört er Ihnen?«

»Ja.«

»Wissen Sie, was er wert ist?«

»Nicht genau. Viel kann es nicht sein.«

»Nun«, sagte Beizmenne freundlich, »wir haben ihn schätzen lassen, und vorsichtshalber nicht nur von unserem Fachmann hier im Haus, zusätzlich noch, um Ihnen auf keinen Fall unrecht zu tun, von einem Juwelier hier in der Stadt. Dieser Ring ist achttausend bis zehntausend Mark wert. Das wußten sie nicht? Ich glaube es Ihnen sogar, und doch müßten Sie mir erklären, woher Sie ihn haben. Im Zusammenhang mit einer Ermittlung, in der es sich um einen des Raubes überführten Verbrecher handelt, der dringend mordverdächtig ist, ist ein solcher Ring keine Kleinigkeit, und auch nichts Privates, Intimes wie Hunderte Kilometer, stundenlanges Autofahren im Regen. Von wem stammt nun der Ring, von Götten oder dem Herrenbesuch, oder war Götten nicht doch der Herrenbesuch, und wenn nicht, wo sind Sie denn – als Damenbesuch, wenn ich es scherzhaft so nennen darf – hingefahren im Regen, Tausende Kilometer? Es wäre eine Kleinigkeit für uns, festzustellen, von welchem Juwelier der Ring stammt, ob gekauft oder gestohlen, aber ich möchte Ihnen eine Chance geben – ich halte Sie nämlich nicht für unmittelbar kriminell, sondern nur für naiv und ein bißchen romantisch. Wie wollen Sie mir – uns – erklären, daß Sie, die Sie als zimperlich, fast prüde bekannt sind, die Sie von Ihren Bekannten und Freunden den Spitznamen ›Nonne‹ erhalten haben, die Diskotheken meidet, weil es dort zu wüst zugeht – sich von ihrem Mann scheiden läßt, weil er ›zudringlich‹ geworden ist –, wie wollen Sie uns dann erklären, daß Sie – angeblich – diesen Götten erst vorgestern kennengelernt haben und noch am gleichen Tage – man könnte sagen stehenden Fußes – ihn mit in Ihre Wohnung genommen haben und dort sehr rasch – na sagen wir – intim geworden sind. Wie nennen Sie das? Liebe auf den ersten Blick? Verliebtheit? Zärtlichkeit? Wollen Sie nicht einsehen, daß es da einige Ungereimtheiten gibt, die den Verdacht nicht so ganz auslöschen? Und da ist noch etwas.« Jetzt griff er in seine Rocktasche und zog einen größeren weißen Briefumschlag aus der Tasche, dem er einen ziemlich extravaganten, veilchenfarbenen Briefumschlag normalen Formats entnahm, der cremefarben gefüttert war. »Dieser leere Briefumschlag, den wir zusammen mit dem Ring in Ihrer Nachttischschublade gefunden haben, ist am 12.2.74 um 18.00 Uhr bei der Bahnpost in Düsseldorf gestempelt worden – und an Sie adressiert. Mein Gott«, sagte Beizmenne abschließend, »wenn Sie einen Freund gehabt haben, der Sie hin und wieder besuchte und zu dem Sie manchmal gefahren sind, der Ihnen Briefe schrieb und manchmal etwas schenkte – sagen Sie es uns doch, es ist ja kein Verbrechen. Es belastet Sie ja nur, wenn ein Zusammenhang mit Götten besteht.«

Es war allen Anwesenden klar, daß Katharina den Ring erkannte, dessen Wert aber nicht gewußt hatte; daß hier wieder das heikle Thema Herrenbesuch aufkam. Schämte sie sich etwa nur, weil sie ihren Ruf gefährdet sah, oder sah sie jemand anderen gefährdet, den sie nicht in die Sache hineinziehen wollte? Sie errötete diesmal nur leicht. Gab sie deshalb nicht an, den Ring von Götten bekommen zu haben, weil sie wußte, daß es ziemlich unglaubwürdig gewesen wäre, aus Götten einen Kavalier dieses Schlags zu machen? Sie blieb ruhig, fast »zahm«, als sie zu Protokoll gab: »Es trifft zu, daß ich beim Hausball der Frau Woltersheim ausschließlich und innig mit Ludwig Götten getanzt habe, den ich zum erstenmal in meinem Leben sah und dessen Nachnamen ich erst bei der polizeilichen Vernehmung am Donnerstagmorgen erfuhr. Ich empfand große Zärtlichkeit für ihn und er für mich. Gegen zehn Uhr habe ich die Wohnung von Frau Woltersheim verlassen und bin mit Ludwig Götten in meine Wohnung gefahren.

Über die Herkunft des Schmuckstückes kann ich, ich korrigiere mich: will ich keine Auskunft geben. Da es nicht auf unrechtmäßige Weise in meinen Besitz gelangt ist, fühle ich mich nicht verpflichtet, seine Herkunft zu erklären. Der Absender des mir vorgehaltenen Briefumschlages ist mir unbekannt. Es muß sich um eine der üblichen Werbesendungen handeln. Ich bin in gastronomischen Fachkreisen inzwischen einigermaßen bekannt. Für die Tatsache, daß eine Reklamesendung ohne Absender in einem einigermaßen kostspieligen und aufwendig wattierten Briefumschlag versendet wird, habe ich keine Erklärung. Ich möchte nur drauf hinweisen, daß gewisse gastronomische Firmen sich gern den Anschein der Vornehmheit geben.«

Als sie dann gefragt wurde, warum sie ausgerechnet an diesem Tag, wo sie doch offensichtlich und zugegebenermaßen so gerne Auto fahre, an diesem Tag mit der Straßenbahn zu Frau Woltersheim gefahren sei, sagte Katharina Blum, sie habe nicht gewußt, ob sie viel oder wenig Alkohol trinken würde, und es sei ihr sicherer erschienen, nicht mit ihrem Wagen zu fahren. Gefragt, ob sie viel trinke oder gar gelegentlich betrunken sei, sagte sie, nein, sie trinke wenig, und betrunken sei sie nie gewesen, nur einmal sei sie – und zwar in Gegenwart und auf Veranlassung ihres Mannes bei einem geselligen Abend des Trommlerkorps – betrunken *gemacht* worden, und zwar mit einem Aniszeug, das wie Limonade schmeckte. Man habe ihr später gesagt, dieses ziemlich teure Zeug sei ein beliebtes Mittel, Leute betrunken zu machen. Als ihr vorgehalten wurde, diese Erklärung – sie habe gefürchtet, eventuell zuviel zu trinken – sei nicht stichhaltig, da sie nie viel trinke, und ob ihr nicht einleuchte, daß es so aussehen müsse, als sei sie mit Götten regelrecht verabredet gewesen, habe also gewußt, daß sie ihr Auto nicht brauchen, sondern in seinem Auto heimfahren werde, schüttelte sie den Kopf und sagte, es sei genauso, wie sie angegeben habe. Es sei ihr durchaus danach zumute gewesen, sich einmal einen anzutrinken, aber sie habe es dann doch nicht getan.

Ein weiterer Punkt mußte vor der Mittagspause noch geklärt werden: Warum sie weder ein Spar- noch ein Scheckbuch habe. Ob es nicht doch noch irgendwo ein Konto gebe. Nein, sie habe kein weiteres Konto als das bei der Sparkasse. Jede, auch die kleinste ihr zur Verfügung stehende Summe benutze sie sofort, um ihren hochverzinslichen Kredit abzuzahlen; die Kreditzinsen wären manchmal fast doppelt so hoch wie die Sparzinsen, und auf einem Girokonto gäbe es fast gar keine Zinsen. Außerdem sei ihr der Scheckverkehr zu teuer und umständlich. Laufende Kosten, ihren Haushalt und das Auto, bezahle sie bar.

25

Gewisse Stauungen, die man auch Spannungen nennen kann, sind ja unvermeidlich, weil nicht alle Quellen mit einem Griff und auf einmal um- und abgelenkt werden können, so daß das trockengelegte Gelände sofort sichtbar wird. Unnötige Spannungen aber sollen vermieden werden, und es soll hier erklärt werden, warum an diesem Freitagmorgen sowohl Beizmenne wie Katharina so milde, fast weich oder gar zahm waren. Katharina sogar ängstlich oder eingeschüchtert. Zwar hatte die ZEITUNG, die eine freundliche Nachbarin unter Frau Woltersheims Haustür geschoben hatte, bei beiden Frauen Wut, Ärger, Empörung, Scham und Angst bewirkt, doch hatte das sofortige Telefongespräch mit Blorna Milderung geschaffen, und da kurz nachdem die beiden entsetzten Frauen die ZEITUNG überflogen und Katharina mit Blorna telefoniert hatte, schon Frau Pletzer erschienen war, die offen zugab, daß man Katharinas Wohnung natürlich überwache und aus diesem Grund wisse, daß sie hier zu finden sei, und nun müsse man leider – und leider auch Frau Woltersheim – zur Vernehmung, da war der offenen und netten Art von Frau Pletzer wegen der Schrecken über die ZEITUNG zunächst verdrängt und für Katharina ein nächtliches Erlebnis wieder in den Vordergrund gerückt, das sie als beglückend empfunden hatte: Ludwig hatte sie angerufen, und zwar von *dort!* Er war so lieb gewesen, und deshalb hatte sie gar nichts von dem Ärger erzählt, weil er nicht das Gefühl haben sollte, er sei die Ursache irgendeines Kummers. Sie hatten auch nicht über Liebe gesprochen, das hatte sie ihm ausdrücklich – schon als sie mit ihm im Auto nach Hause fuhr – verboten. Nein, nein, es ging ihr gut, natürlich wäre sie lieber bei ihm und für immer oder wenigstens für lange mit ihm zusammen, am liebsten natürlich ewig, und sie werde sich Karneval über erholen und nie, nie wieder mit einem andern Mann als ihm tanzen und nie mehr anders als südamerikanisch, und nur mit ihm, und wie es denn dort sei. Er sei sehr gut untergebracht und sehr gut versorgt, und da sie ihm verboten habe, von Liebe zu sprechen, möchte er doch sagen, daß er sie sehr sehr sehr gern habe, und eines Tages – wann, das wisse er noch nicht, es könne Monate, aber auch ein Jahr oder zwei dauern – werde er sie holen, wohin, das wisse er noch nicht. Und so weiter, wie Leute, die große Zärtlichkeit füreinander haben, eben miteinander am Telefon plaudern. Keine Erwähnung von Intimitäten und schon gar kein Wort über jenen Vorgang, den Beizmenne (oder, was immer wahrscheinlicher scheint: Hach) so grob definiert hatte. Und so weiter. Was eben diese Art von Zärtlichkeitsempfinder sich zu sagen haben. Ziemlich lange. Zehn Minuten. Vielleicht sogar mehr, sagte Katharina zu Else. Vielleicht kann man, was das konkrete Vokabularium der beiden Zärtlichen anbetrifft, auch auf gewisse moderne Filme verweisen, wo am Telefon – oft über weite Entfernung hin – ziemlich viel und viel *scheinbar* belanglos geplaudert wird.

Dieses Telefongespräch, das Katharina mit Ludwig führte, war auch der Anlaß für Beizmennes Entspanntheit, Freundlichkeit und Milde, und obwohl er ahnte, warum Katharina alle spröde Bockigkeit abgelegt hatte, konnte sie natürlich nicht ahnen, daß er aus dem gleichen Anlaß, wenn auch nicht aus dem gleichen Grund, so fröhlich war. (Man sollte diesen merk- und denkwürdigen Vorgang zum Anlaß nehmen, öfter zu telefonieren, notfalls auch ohne zärtliches Geflüster, denn man weiß ja nie, *wem* man wirklich mit so einem Telefongespräch eine Freude macht.) Beizmenne kannte aber auch die Ursache für Katharinas Ängstlichkeit, denn er hatte auch Kenntnis von einem weiteren anonymen Anruf.

Es wird gebeten, die vertraulichen Mitteilungen, die dieses Kapitel enthält, nicht nach Quellen abzuforschen, es handelt sich lediglich um den Durchstich eines Nebenpfützenstaus, dessen dilettantisch errichtete Staumauer durchstochen, zum Abfluß bzw. zu Fluß gebracht wird, bevor die schwache Staumauer bricht und alle Spannung verschwendet ist.

26

Damit keine Mißverständnisse entstehen, muß auch festgestellt werden, daß sowohl Else Woltersheim wie Blorna natürlich wußten, daß Katharina sich regelrecht strafbar gemacht hatte, indem sie Götten half, unbemerkt aus ihrer Wohnung zu verschwinden; sie mußte ja auch, als sie seine Flucht ermöglicht hatte, Mitwisserin gewisser Straftaten sein, wenn auch in diesem Fall nicht der wahren! Else Woltersheim sagte es ihr auf den Kopf zu, kurz bevor Frau Pletzer beide zum Verhör abholte. Blorna nahm die nächste Gelegenheit wahr, Katharina auf die Strafbarkeit ihres Tuns aufmerksam zu machen. Es soll auch niemandem vorenthalten werden, was Katharina zu Frau Woltersheim über Götten sagte: »Mein Gott, er war es eben, der da kommen soll, und ich hätte ihn geheiratet und Kinder mit ihm gehabt – und wenn ich hätte warten müssen, jahrelang, bis er aus dem Kittchen wieder raus war.«

27

Die Vernehmung von Katharina Blum konnte damit als abgeschlossen gelten, sie mußte sich nur bereit halten, um möglicherweise mit den Aussagen der übrigen Teilnehmer an der Woltersheimschen Tanzparty konfrontiert zu werden. Es sollte nämlich nun eine Frage geklärt werden, die im Zusammenhang mit Beizmennes Verabredungs- und Verschwörungstheorie wichtig genug war: Wie war Ludwig Götten zum Hausball bei Frau Woltersheim gekommen?

Es wurde Katharina Blum anheimgestellt, nach Hause zu gehen oder an einem ihr genehmen Ort zu warten, aber sie lehnte es ab, nach Hause zu gehen, die Wohnung, sagte sie, sei ihr endgültig verleidet, sie zöge es vor, in einer Zelle zu warten, bis Frau Woltersheim vernommen worden sei, und mit dieser dann nach Hause zu gehen. In diesem Augenblick erst zog Katharina die beiden Ausgaben der ZEITUNG aus der Tasche und fragte, ob der Staat – so drückte sie es aus – nichts tun könne, um sie gegen diesen Schmutz zu schützen und ihre verlorene Ehre wiederherzustellen. Sie wisse inzwischen sehr wohl, daß ihre Vernehmung durchaus gerechtfertigt sei, wenn ihr auch dieses »Bis-ins-letzte-Lebensdetail-Gehen« nicht einleuchte, aber es sei ihr unbegreiflich, wie Einzelheiten aus der Vernehmung – etwa der Herrenbesuch – hätten zur Kenntnis der ZEITUNG gelangen können, und alle diese erlogenen und erschwindelten Aussagen. Hier griff Staatsanwalt

Hach ein und sagte, es habe natürlich angesichts des riesigen öffentlichen Interesses am Fall Götten eine Presseverlautbarung herausgegeben werden müssen; eine Pressekonferenz habe noch nicht stattgefunden, sei aber wohl wegen der Erregung und Angst, die durch Göttens Flucht – die sie, Katharina, ja ermöglicht habe – entstanden sei, nun kaum noch zu vermeiden. Im übrigen sei sie jetzt durch ihre Bekanntschaft mit Götten eine »Person der Zeitgeschichte« und damit Gegenstand berechtigten öffentlichen Interesses. Beleidigende und möglicherweise verleumderische Details der Berichterstattung könne sie zum Gegenstand einer Privatklage machen, und – falls sich herausstelle, daß es »undichte Stellen« innerhalb der untersuchenden Behörde gebe, so werde diese, darauf könne sie sich verlassen, Anzeige gegen Unbekannt erheben und ihr zu ihrem Recht verhelfen. Dann wurde Katharina Blum in eine Zelle verbracht. Man verzichtete auf scharfe Bewachung, gab ihr lediglich eine jüngere Polizeiassistentin, Renate Zündach, bei, die, unbewaffnet, bei ihr blieb und später berichtete, Katharina Blum habe die ganze Zeit über – etwa zweieinhalb Stunden lang – nichts weiter getan, als immer und immer wieder die beiden Ausgaben der ZEITUNG zu lesen. Tee, Brote, alles habe sie abgelehnt, nicht in aggressiver, sondern in »fast freundlicher, apathischer Weise«. Jede Unterhaltung über Mode, Filme, Tänze, die sie, Renate Zündach, anzufangen versucht habe, um Katharina abzulenken, habe diese abgelehnt.

Sie habe dann, um der Blum, die sich regelrecht in die Lektüre der ZEITUNG verbissen habe, zu helfen, die Bewachung vorübergehend dem Kollegen Hüften übergeben und aus dem Archiv die Berichte anderer Zeitungen geholt, in denen über die Verstrickung und Vernehmung der Blum, ihre mögliche Rolle, in durchaus sachlicher Form berichtet worden sei. Auf der dritten, vierten Seite kurze Berichte, in denen nicht einmal der Name der Blum voll ausgedruckt gewesen sei, von ihr lediglich als von einer gewissen Katharina B., Hausgehilfin, gesprochen worden sei. Zum Beispiel habe in der ›Umschau‹ nur eine Zehnzeilen-Meldung gestanden, natürlich ohne Foto, in der man von unglückseligen Verstrickungen einer völlig unbescholtenen Person gesprochen habe. Das alles – sie habe der Blum fünfzehn Zeitungsausschnitte hingelegt – habe diese nicht getröstet, sie habe nur gefragt: »Wer liest das schon? Alle Leute, die ich kenne, lesen die ZEITUNG!«

28

Um zu klären, wie Götten zum Hausball der Frau
Woltersheim hatte kommen können, wurde zuerst
Frau Woltersheim selbst vernommen, und es wurde vom ersten Augenblick an klar, daß Frau Woltersheim dem gesamten sie vernehmenden Gre-
mium gegenüber, wenn nicht ausgesprochen
feindselig, so doch feindseliger als die Blum gegen-
überstand. Sie gab an, 1930 geboren zu sein, also
44 Jahre alt, unverheiratet, von Beruf Wirtschafterin, undiplomiert. Bevor sie zur Sache aussagte,
äußerte sie sich mit »unbewegter, fast pulvertrok-
kener Stimme, was ihrer Empörung mehr Kraft
verlieh, als wenn sie losgeschimpft oder geschrien
hätte«, über die Behandlung von Katharina Blum
durch die ZEITUNG sowie über die Tatsache,
daß man· offensichtlich Details aus der Vernehmung an diese Art Presse weitergebe. Es sei ihr
klar, daß Katharinas Rolle untersucht werden
müsse, sie frage sich aber, ob es zu verantworten
sei, »ein junges Leben zu zerstören«, wie es nun
geschehe. Sie kenne Katharina vom Tage ihrer Ge-
burt an und beobachte jetzt schon die Zerstörung
und auch Verstörtheit, die an ihr seit gestern be-
merkbar sei. Sie sei keine Psychologin, aber die
Tatsache, daß Katharina offenbar nicht mehr an
ihrer Wohnung, an der sie sehr gehangen und für

die sie so lange gearbeitet habe, interessiert sei, halte sie für alarmierend.

Es war schwer, den anklagenden Redefluß der Woltersheim zu unterbrechen, nicht einmal Beizmenne kam so recht gegen sie an, erst als er sie unterbrach und ihr vorwarf, Götten empfangen zu haben, sagte sie, sie habe seinen Namen nicht einmal gewußt, er habe sich nicht vorgestellt, sei ihr auch nicht vorgestellt worden. Sie wisse nur, daß er an dem fraglichen Mittwoch gegen 19.30 Uhr in Begleitung von Hertha Scheumel gekommen sei, gemeinsam mit deren Freundin Claudia Sterm, die wiederum in Begleitung eines als Scheich verkleideten Mannes erschienen sei, von dem sie nur wisse, daß er Karl genannt worden sei und der sich später recht merkwürdig benommen habe. Von einer Verabredung mit diesem Götten könne nicht gesprochen werden, auch habe sie nie vorher seinen Namen gehört, und sie sei über Katharinas Leben bis ins letzte Detail informiert. Als man ihr Katharinas Aussage über ihre »merkwürdigen Autofahrten« vorhielt, mußte sie allerdings zugeben, davon nichts gewußt zu haben, und damit erlitt ihre Angabe, sie wisse über alle Details in Katharinas Leben Bescheid, einen entscheidenden Schlag. Auf den Herrenbesuch angesprochen, wurde sie verlegen und sagte, da Katharina wohl darüber nichts gesagt habe, verweigere auch sie die Aussage. Das einzige, was sie dazu sagen könne: Das eine sei eine »ziemlich kitschige Angelegenheit«, und »wenn ich Kitsch sage, meine ich nicht Katharina, sondern den Besucher«. Wenn sie von Katharina bevollmächtigt werde, werde sie alles darüber sagen, was sie wisse; sie halte es für ausgeschlossen, daß Katharinas Autofahrten zu diesem Herrn geführt hätten. Ja, es gebe diesen Herrn, und wenn sie zögere, mehr über ihn zu sagen, so, weil sie ihn nicht der totalen Lächerlichkeit preisgeben wolle. Katharinas Rolle jedenfalls sei in beiden Fällen – im Fall Götten und im Fall Herrenbesuch – über jeden Zweifel erhaben. Katharina sei immer ein fleißiges, ordentliches, ein bißchen schüchternes, oder besser gesagt: eingeschüchtertes Mädchen gewesen, als Kind sogar fromm und kirchentreu. Dann aber sei ihre Mutter, die auch die Kirche in Gemmelsbroich geputzt habe, mehrmals der Unordentlichkeit überführt und einmal sogar erwischt worden, wie sie in der Sakristei gemeinsam mit dem Küster eine Flasche Meßwein getrunken habe. Daraus sei dann eine »Orgie« und ein Skandal gemacht worden, und Katharina sei in der Schule vom Pfarrer schlecht behandelt worden. Ja, Frau Blum, Katharinas Mutter, sei sehr labil, streckenweise auch Alkoholikerin gewesen, aber man müsse sich diesen ewig nörgelnden, kränklichen Mann – Katharinas Vater – vorstellen, der als

Wrack aus dem Krieg heimgekommen sei, dann die verbitterte Mutter und den – ja man könne sagen mißratenen Bruder. Ihr sei auch die Geschichte der völlig mißglückten Ehe bekannt. Sie habe ja von vornherein abgeraten, Brettloh sei – sie bitte um Verzeihung für diesen Ausdruck – der typische Schleimscheißer, der sich weltlichen und kirchlichen Behörden gegenüber gleich kriecherisch verhalte, außerdem ein widerwärtiger Angeber. Sie habe Katharinas frühe Ehe als Flucht aus dem schrecklichen häuslichen Milieu betrachtet, und wie man sehe, habe sich ja Katharina, sobald sie dem häuslichen Milieu und der unbedacht geschlossenen Ehe entronnen sei, geradezu vorbildlich entwickelt. Ihre berufliche Qualifikation sei über jeden Zweifel erhaben, das könne sie – die Woltersheim – nicht nur mündlich, notfalls auch schriftlich bestätigen und bescheinigen, sie sei im Prüfungsausschuß der Handwerkskammer. Mit den neuen Formen privater und öffentlicher Gastlichkeit, die immer mehr auf eine Form hin tendieren, die man »organisierten Buffetismus« zu nennen beginne, stiegen die Chancen einer Frau wie Katharina Blum, die organisatorisch, kalkulatorisch und auch, was die ästhetische Seite betreffe, aufs beste gebildet und ausgebildet sei. Jetzt allerdings, wenn es nicht gelänge, ihr Genugtuung gegenüber der ZEITUNG zu verschaffen, schwinde mit dem Interesse an ihrer Wohnung auch Katharinas Interesse an ihrem Beruf. An diesem Punkt der Aussage wurde auch Frau Woltersheim darüber belehrt, daß es nicht Sache der Polizei oder der Staatsanwaltschaft sei, »gewisse gewiß verwerfliche Formen des Journalismus strafrechtlich zu verfolgen«. Die Pressefreiheit dürfe nicht leichtfertig angetastet werden, und sie dürfe davon überzeugt sein, daß eine Privatklage gerecht behandelt und gegen illegitime Informationsquellen eine Anzeige gegen Unbekannt erhoben werde. Es war der junge Staatsanwalt Dr. Korten, der hier ein fast leidenschaftlich zu nennendes Plädoyer für die Pressefreiheit und für das Informationsgeheimnis hielt und ausdrücklich betonte, daß, wer sich nicht in schlechte Gesellschaft begebe oder in solche gerate, ja auch der Presse keinerlei Anlaß zu vergröberten Darstellungen gebe.

Das Ganze – etwa das Auftauchen Göttens und des ominösen, als Scheich verkleideten Karl – lasse doch Schlüsse auf eine merkwürdige Sorglosigkeit im gesellschaftlichen Umgang zu. Das sei ihm noch nicht hinreichend geklärt, und er rechne damit, bei der Vernehmung der beiden betroffenen oder betreffenden jungen Damen plausible Erklärungen zu bekommen. Ihr, Frau Woltersheim, sei der Vorwurf nicht zu ersparen, daß sie in der Auswahl ihrer Gäste nicht gerade wählerisch sei. Frau

Woltersheim verbat sich diese Belehrung durch einen wesentlich jüngeren Herrn und verwies darauf, daß sie die beiden jungen Damen eingeladen habe, mit ihren Freunden zu kommen, und daß es ihr allerdings fernliege, Freunde, die ihre Gäste mitbrächten, nach dem Personalausweis und dem polizeilichen Führungszeugnis zu fragen. Sie mußte einen Verweis entgegennehmen und darauf aufmerksam gemacht werden, daß hier das Alter keine, die Position des Staatsanwalts Dr. Korten aber eine erhebliche Rolle spiele. Immerhin untersuche man hier einen ernsten, einen schweren, wenn nicht den schwersten Fall von Gewaltkriminalität, in den Götten nachweislich verwickelt sei. Sie müsse es schon dem Vertreter des Staates überlassen, welche Details und welche Belehrungen er für richtig halte. Nochmals gefragt, ob Götten und der Herrenbesuch ein und dieselbe Person sein könnten, sagte die Woltersheim, nein, das könne mit Sicherheit ausgeschlossen werden. Als sie dann aber gefragt wurde, ob sie den »Herrenbesuch« persönlich kenne, je gesehen habe, ihm je begegnet sei, mußte sie das verleugnen, und da sie auch ein so wichtiges intimes Detail, wie die merkwürdigen Autofahrten nicht gewußt hatte, wurde ihre Vernehmung als unbefriedigend bezeichnet, und sie wurde »mit einem Mißton« vorläufig entlassen. Bevor sie den Raum, offenbar verärgert, verließ, gab sie noch zu Protokoll, daß der als Scheich verkleidete Karl ihr mindestens so verdächtig erschienen sei wie Götten. Jedenfalls habe er auf der Toilette ständig Selbstgespräche geführt und sei dann ohne Abschied verschwunden.

29

Da nachweislich die siebzehnjährige Verkäuferin Hertha Scheumel den Götten mit zur Party gebracht hatte, wurde sie als nächste vernommen. Sie war offensichtlich verängstigt, sagte, sie habe noch nie mit der Polizei zu tun gehabt, gab aber dann eine relativ plausible Erklärung über ihre Bekanntschaft mit Götten ab. »Ich wohne«, sagte sie aus, »mit meiner Freundin Claudia Sterm, die in einer Schokoladenfabrik arbeitet, zusammen in einem Ein-Zimmer-Küche-Dusche-Appartement. Wir stammen beide aus Kuir-Oftersbroich, sind beide sowohl mit Frau Woltersheim wie mit Katharina Blum weitläufig verwandt (obwohl die Scheumel die Weitläufigkeit der Verwandtschaft genauer darstellen wollte, indem sie auf Großeltern verwies, die Vettern, bzw. Kusinen von Großelten gewesen waren, wurde auf eine detaillierte Bezeichnung ihrer Verwandtschaft verzichtet und der Ausdruck ›weitläufig‹ als ausreichend angesehen). Wir nennen Frau Woltersheim Tante und betrachten Katharina als Kusine. An diesem Abend, am Mittwoch, dem 20. Februar 1974, waren wir beide, Claudia und ich, in großer Verlegenheit. Wir hatten Tante Else versprochen, unsere Freunde zu dem kleinen Fest mitzubringen, weil es sonst an Tanzpartnern fehlen würde. Nun war aber mein Freund, der zur Zeit bei der Bundeswehr dient, genauer gesagt: bei den Pionieren, wieder einmal und wieder plötzlich zur Innenstreife eingeteilt worden, und obwohl ich ihm riet, einfach abzuhauen, gelang es mir nicht, ihn dazu zu überreden, weil er schon mehrmals abgehauen war und große disziplinäre Schwierigkeiten befürchtete. Claudias Freund war aber schon am frühen Nachmittag so betrunken, daß wir ihn ins Bett stecken mußten. Wir entschlossen uns also, ins Café Polkt zu gehen und uns dort jemanden Netten aufzugabeln, weil wir uns bei Tante Else nicht blamieren wollten. Im Café Polkt ist während der Karnevalssaison immer was los. Man trifft sich dort vor und nach den Bällen, vor und nach den Sitzungen, und man kann dort sicher sein, immer viele junge Leute zu treffen. Die Stimmung im Café Polkt war am späten Mittwochnachmittag schon sehr nett. Ich bin zweimal von diesem jungen Mann, von dem ich jetzt erst erfahre, daß er

Ludwig Götten heißt und ein gesuchter Schwerverbrecher ist, zum Tanz aufgefordert worden, und beim zweiten Tanz habe ich ihn gefragt, ob er nicht Lust hat, mit mir auf eine Party zu gehen. Er hat sofort freudig zugestimmt. Er sagte, er sei auf der Durchreise, habe keine Bleibe und wisse gar nicht, wo er den Abend verbringen solle, und er würde gern mitgehen. In diesem Moment, als ich mit diesem Götten mich sozusagen verabredete, tanzte Claudia mit einem als Scheich verkleideten Mann neben mir, und sie müssen wohl unser Gespräch mit angehört haben, denn der Scheich, von dem ich später erfuhr, daß er Karl heißt, fragte sofort Claudia in so einer Art witzig gemeinter Demut, ob denn auf dieser Party nicht noch ein Plätzchen für ihn frei sei, er sei auch einsam und wisse nicht so recht, wohin. Nun, damit hatten wir ja unser Ziel erreicht und sind kurz darauf in Ludwigs – ich meine Herrn Göttens – Auto zur Wohnung von Tante Else gefahren. Es war ein Porsche, nicht sehr bequem für vier Personen, aber es war ja auch nicht weit zu fahren. Die Frage, ob Katharina Blum gewußt hat, daß wir ins Café Polkt gehen würden, um jemanden aufzugabeln, beantworte ich mit Ja. Ich habe am Morgen Katharina bei Rechtsanwalt Blorna, wo sie arbeitet, angerufen und ihr erzählt, daß Claudia und ich allein kommen müßten, wenn wir nicht jemand

84

finden würden. Ich habe ihr auch gesagt, daß wir ins Café Polkt gehen würden. Sie war sehr dagegen und meinte, wir wären zu gutgläubig und leichtsinnig. Katharina ist nun mal komisch in diesen Sachen. Um so erstaunter war ich, als Katharina den Götten fast sofort mit Beschlag belegte und den ganzen Abend mit ihm tanzte, als würden sie sich schon ewig kennen.«

30

Die Aussage von Hertha Scheumel wurde von ihrer Freundin Claudia Sterm fast wörtlich bestätigt. Lediglich in einem einzigen, unwesentlichen Punkt ergab sich ein Widerspruch. Sie habe nämlich nicht zwei-, sondern dreimal mit dem Scheich Karl getanzt, weil sie früher von Karl als Hertha von Götten zum Tanz aufgefordert worden sei. Und auch Claudia Sterm zeigte sich erstaunt darüber, wie rasch die als spröde bekannte Katharina Blum mit Götten vertraut, ja fast vertraulich geworden sei.

Es mußten noch drei weitere Teilnehmer des
Hausballs vernommen werden. Der selbständige
Textilkaufmann Konrad Beiters, 56 Jahre alt, ein
Freund von Frau Woltersheim, und das Ehepaar
Hedwig und Georg Plotten, 36 bzw. 42 Jahre alt,
beide von Beruf Verwaltungsangestellte. Die drei
beschrieben den Verlauf des Abends übereinstimmend, vom Eintreffen der Katharina Blum, dem
Eintreffen Hertha Scheumels in Begleitung von
Ludwig Götten und Claudia Sterm in Begleitung
des als Scheich verkleideten Karl an. Im übrigen
sei es ein netter Abend gewesen, man habe getanzt, miteinander geplaudert, wobei sich Karl als
besonders witzig erwiesen habe. Störend – wenn
man es so nennen könnte, denn die beiden hätten
es sicher nicht so empfunden –, sagte Georg Plotten – sei die »totale Vereinnahmung von Katharina
Blum durch Ludwig Götten« gewesen. Das habe
dem Abend einen Ernst, fast etwas Feierliches gegeben, das zu karnevalistischen Veranstaltungen
nicht so recht passe. Auch ihr, sagte Frau Hedwig
Plotten aus, sei nach dem Weggang von Katharina
und Ludwig, als sie in die Küche gegangen sei, um
frisches Eis zu holen, aufgefallen, daß der als Karl
eingeführte Scheich auf der Toilette Selbstgespräche geführt habe. Übrigens habe sich dieser Karl

kurz danach, ohne sich recht zu verabschieden, entfernt.

32

Katharina Blum, die noch einmal zur Vernehmung vorgeführt wurde, bestätigte das Telefongespräch, das sie mit Hertha Scheumel geführt hatte, bestritt aber nach wie vor, es habe sich um eine Verabredung zwischen ihr und Götten gehandelt. Es wurde ihr nämlich, nicht von Beizmenne, sondern von dem jüngeren der beiden Staatsanwälte, Dr. Korten, nahegelegt, doch zuzugeben, daß, nachdem sie mit Hertha Scheumel telefoniert habe, Götten sie angerufen habe und daß sie auf raffinierte Weise diesen ins Café Polkt geschickt und ihn veranlaßt habe, die Scheumel anzusprechen, um so unauffällig mit ihr bei der Woltersheim zusammenzutreffen. Das sei sehr einfach möglich gewesen, da die Scheumel eine ziemlich aufgedonnerte, auffällige Blondine sei. Katharina Blum, inzwischen fast völlig apathisch, schüttelte nur den Kopf, während sie da saß und die beiden Ausgaben der ZEITUNG nach wie vor mit der rechten Hand umklammerte. Sie wurde dann entlassen und verließ gemeinsam mit Frau Woltersheim und deren Freund Konrad Beiters das Präsidium.

33

Als man die unterschriebenen Vernehmungsprotokolle noch einmal durchsprach und auf mögliche Befragungslücken überprüfte, warf Dr. Korten die Frage auf, ob man denn nun nicht ernsthaft
versuchen müsse, dieses Scheichs mit dem Namen
Karl habhaft zu werden und dessen höchst obsku-
re Rolle in dieser Sache zu untersuchen. Er sei
doch sehr erstaunt, daß noch keinerlei Maßnahmen zu einer Fahndung nach »Karl« eingeleitet
worden seien. Schließlich sei doch dieser Karl offensichtlich zusammen, wenn nicht gemeinsam
mit Götten im Café Polkt aufgetaucht, habe sich
ebenfalls in die Party gedrängt, und seine Rolle
erscheine ihm, Korten, doch recht undurchsichtig,
wenn nicht verdächtig.

Hier brachen nun alle Anwesenden in Lachen
aus, sogar die zurückhaltende Kriminalbeamtin
Pletzer erlaubte sich ein Lächeln. Die Protokollführerin, Frau Anna Lockster, lachte so vulgär,
daß sie von Beizmenne zurechtgewiesen werden
mußte. Und da Korten immer noch nicht begriff,
klärte ihn sein Kollege Hach schließlich auf. Ob
Korten denn nicht klargeworden oder gar aufgefallen sei, daß Kommissar Beizmenne den Scheich
absichtlich übergangen oder unerwähnt gelassen
habe? Es sei doch offensichtlich, daß er einer »un-

serer Leute« sei und das angebliche Selbstgespräch auf der Toilette nichts weiter als eine – allerdings ungeschickt betriebene – Benachrichtigung seiner Kollegen per Minifunkgerät, die Verfolgung des Götten und der Blum, deren Adresse natürlich inzwischen bekannt gewesen sei, aufzunehmen. »Und gewiß ist Ihnen ebenfalls klar, Herr Kollege, daß in dieser Karnevalssaison Scheichkostüme die beste Tarnung sind, denn heuer sind aus naheliegenden Gründen Scheichs beliebter als Cowboys.« »Natürlich«, fügte Beizmenne hinzu, »war uns von vornherein klar, daß der Karneval es den Banditen erleichtern würde unterzutauchen und es uns erschweren würde, auf der heißen Spur zu bleiben, denn Götten wurde schon seit sechsunddreißig Stunden auf Schritt und Tritt verfolgt. Götten, der übrigens nicht verkleidet war, hatte auf einem Parkplatz, von dem er später den Porsche stahl, in einem VW-Bus übernachtet, hatte später in einem Café gefrühstückt, auf dessen Toilette er sich rasierte und umzog. Wir haben ihn keine Minute aus dem Auge verloren, etwa ein Dutzend als Scheichs, Cowboys und Spanier verkleidete Beamte, alle mit Minifunkgeräten ausgestattet, als verkaterte Ballheimkehrer getarnt, waren auf seiner Spur, um Kontaktversuche sofort zu melden. Die Personen, mit denen Götten bis zum Betreten des Café Polkt in Berührung kam, sind alle erfaßt und überprüft worden:

ein Schankkellner, an dessen Theke er Bier trank
zwei Mädchen, mit denen er in einem Altstadtlo-
  kal tanzte
ein Tankwart in der Nähe Holzmarkt, wo er den
  gestohlenen Porsche auftankte
ein Mann am Zeitungskiosk in der Matthiasstraße
ein Verkäufer in einem Zigarettenladen
ein Bankbeamter, bei dem er siebenhundert ameri-
  kanische Dollar tauschte, die wahrscheinlich aus
  einem Bankraub stammen.
Alle diese Personen sind eindeutig als Zufalls-,
nicht als Plankontakte identifiziert worden, und
keins der mit jeder einzelnen Person gewechselten
Worte läßt Rückschlüsse auf einen Code zu. Ich
lasse mir aber nicht einreden, daß die Blum ebenfalls ein Zufallskontakt war. Ihr Telefongespräch
mit der Scheumel, die Pünktlichkeit, mit der sie
bei der Woltersheim auftauchte, auch die verfluchte Innigkeit und Zärtlichkeit, mit der die beiden
von der ersten Sekunde an getanzt haben – und
wie rasch sie dann miteinander abgezischt sind –,
alles spricht gegen Zufall. Vor allem aber die Tatsache, daß sie ihn angeblich ohne Abschied hat
gehen lassen und ihm ganz offensichtlich einen
Weg aus dem Wohnblock gezeigt hat, der unserer
strengen Überwachung entgangen sein muß. Wir
haben den Wohnblock, d.h. das Gebäude innerhalb des Wohnblocks, in dem sie wohnt, keinen

Augenblick aus dem Auge verloren. Natürlich konnten wir nicht das gesamte Areal von fast ein-einhalb Quadratkilometern total überwachen. Sie muß einen Fluchtweg gekannt und ihn ihm gezeigt haben, außerdem bin ich sicher, daß sie für ihn – und möglicherweise für andere – als Quartierma-cherin fungiert hat und genau weiß, wo er sich befindet. Die Häuser ihrer Arbeitgeber sind schon gecheckt worden, wir haben in ihrem Heimatdorf Recherchen angestellt, die Wohnung von Frau Woltersheim ist, während sie hier vernommen wurde, noch einmal gründlich untersucht worden. Nichts. Mir scheint es am besten, sie frei umher-laufen zu lassen, damit şie einen Fehler begeht, und wahrscheinlich führt die Spur zu seinem Quartier über diesen ominösen Herrenbesuch, und ich bin sicher, daß die Spur zum Fluchtweg innerhalb des Wohnblocks über Frau Blorna führt, die wir ja inzwischen auch als die ›rote Tru-de‹ kennen und die an der Planung des Blocks mitgewirkt hat.«

34

Hier sollte erkannt werden, daß der erste Rück-stau fast beendet ist, man vom Freitag wieder zum

Samstag gelangt. Es wird alles getan werden, weitere Stauungen, auch überflüssigen Spannungsstau zu vermeiden. Ganz vermieden werden können sie wahrscheinlich nicht.

Es mag doch vielleicht aufschlußreich sein, daß Katharina Blum nach der abschließenden Vernehmung am Freitagnachmittag Else Woltersheim und Konrad Beiters bat, sie doch zunächst in ihre Wohnung zu fahren und – bitte, bitte – mit hinaufzugehen. Sie gab an, daß sie Angst habe, es sei ihr nämlich in jener Donnerstagnacht, kurz nachdem sie mit Götten telefoniert habe (jeder Außenstehende sollte an der Tatsache, daß sie, wenn auch nicht bei der Vernehmung, offen über ihre telefonischen Kontakte mit Götten sprach, ihre Unschuld erkennen!) etwas ganz und gar Scheußliches passiert. Kurz nachdem sie mit Götten telefoniert, den Hörer gerade aufgelegt habe, habe wieder das Telefon geklingelt, sie habe, in der »wilden Hoffnung«, es sei wieder Götten, sofort den Hörer abgenommen, aber es sei nicht Götten am Apparat gewesen, sondern eine »fürchterlich leise« Männerstimme habe ihr »fast flüsternd« lauter »gemeine Sachen« gesagt, schlimme Dinge, und das schlimmste sei, der Kerl habe sich als Hausbewohner ausgegeben und gesagt, warum sie, wenn sie so auf Zärtlichkeiten aus sei, so weit hergeholte Kontakte suche, er sei bereit und auch in der Lage, ihr jede, aber auch jede Art von Zärtlichkeit zu bieten. Ja, es sei dieser Anruf der Grund gewesen, warum sie noch in der Nacht zu Else gekommen sei. Sie habe Angst, sogar Angst vor dem Telefon, und da Götten ihre, sie aber nicht Göttens Telefonnummer habe, hoffe sie immer noch auf einen Anruf, fürchte aber gleichzeitig das Telefon.

Nun, es soll hier nicht vorenthalten werden, daß der Blum weitere Schrecken bevorstanden. Zunächst einmal: Ihr Briefkasten, der bisher in ihrem Leben eine sehr geringe Rolle gespielt, in den sie meistens nur, »weil man's eben tut«, aber ohne Erfolg hineingeschaut hatte. An diesem Freitagmorgen quoll er regelrecht über, und keineswegs zu Katharinas Freude. Denn obwohl Else W. und Beiters alles taten, um Briefe, Drucksachen abzufangen, ließ sie sich nicht beirren, schaute, wohl in der Hoffnung auf ein Lebenszeichen von ihrem lieben Ludwig, alle Postsachen – insgesamt etwa zwanzig – durch, offenbar ohne etwas von Ludwig zu finden, und stopfte den Kram in ihre Handtasche. Schon die Fahrt im Aufzug war eine Qual, da zwei Mitbewohner ebenfalls hochfuhren. Ein (es muß gesagt werden, obwohl es unglaubwürdig klingt) als Scheich verkleideter Herr, der sich in offensichtlicher Distanzierungsqual in die Ecke drückte, zum Glück aber schon im vierten

Stock ausstieg, und eine (es klingt verrückt, aber was wahr ist, ist wahr) als Andalusierin verkleidete Dame, die, durch eine Gesichtsmaske gedeckt, keinesweges von Katharina abrückte, sondern direkt neben ihr stehenblieb und sie aus »frechen, harten, braunen Augen« dreist und neugierig musterte. Sie fuhr über den achten Stock hinaus.

Zur Warnung: Es kommt noch schlimmer. Endlich in ihrer Wohnung, bei deren Betreten sich Katharina regelrecht an Beiters und Frau W. anklammerte, klingelte das Telefon, und hier war Frau W. schneller als Katharina, sie rannte los, nahm den Hörer ab, man sah ihren entsetzten Gesichtsausdruck, sah sie bleich werden, hörte sie »Sie verdammte Sau, Sie verdammte feige Sau« murmeln, und klugerweise legte sie den Hörer nicht wieder auf, sondern neben die Gabel.

Vergeblich versuchten Frau W. und Beiters gemeinsam, Katharina ihre Post zu entreißen, sie hielt den Packen Briefe und Drucksachen fest umklammert, zusammen mit den beiden Ausgaben der ZEITUNG, die sie ebenfalls ihrer Tasche entnommen hatte, und bestand darauf, die Briefschaften zu öffnen. Es war nichts zu machen. Sie las das alles!

Es war nicht alles anonym. Ein nicht anonymer Brief – der umfangreichste – kam von einem Unternehmen, das sich *Intim-Versandhaus* nannte und ihr alle möglichen Sex-Artikel anbot. Das war für Katharinas Gemüt schon ziemlich starker Tobak, schlimmer noch, daß jemand handschriftlich dazugeschrieben hatte: »*Das* sind die wahren Zärtlichkeiten.«

Um es kurz, oder noch besser: statistisch zu machen: von den weiteren achtzehn Briefschaften waren

sieben anonyme Postkarten, handschriftlich mit »derben« sexuellen Offerten, die alle irgendwie das Wort »Kommunistensau« verwendet hatten
vier weitere anonyme Postkarten enthielten politische Beschimpfungen ohne sexuelle Offerten. Es ging von »roter Wühlmaus« bis »Kreml-Tante«
fünf Briefe enthielten Ausschnitte aus der ZEITUNG, die zum größeren Teil, etwa drei bis vier, mit roter Tinte am Rand kommentiert waren, u.a. folgenden Inhalts: »Was Stalin nicht geschafft hat, Du wirst es auch nicht schaffen«
zwei Briefe enthielten religiöse Ermahnungen, in beiden Fällen auf beigelegte Traktate geschrieben »Du mußt wieder beten lernen, armes, verlorenes Kind« und »knie nieder und bekenne, Gott hat dich noch nicht aufgegeben«.

Und erst in diesem Augenblick entdeckte Else W. einen unter die Tür geschobenen Zettel, den sie zum Glück tatsächlich vor Katharina verbergen konnte: »Warum machst du keinen Gebrauch von meinem Zärtlichkeitskatalog? Muß ich dich zu deinem Glück zwingen? Dein Nachbar, den du so schnöde abgewiesen hast. Ich warne dich.« Das war in Druckschrift geschrieben, an der Else W. akademische, wenn nicht ärztliche Bildung zu erkennen glaubte.

35

Es ist schon erstaunlich, daß weder Frau W. noch Konrad B. erstaunt waren, als sie nun, ohne an irgendeine Form des Eingreifens zu denken, beobachteten, wie Katharina an die kleine Hausbar in ihrem Wohnraum ging, je eine Flache Sherry, Whisky, Rotwein und eine angebrochene Flasche Kirschsirup herausnahm und ohne sonderliche Erregung gegen die makellosen Wände warf, wo sie zerschellten, zerflossen.

Das gleiche machte sie in ihrer kleinen Küche, wo sie Tomatenketchup, Salatsauce, Essig, Worcestersauce zum gleichen Zweck benutzte. Muß hinzugefügt werden, daß sie gleiches in ihrem Badezimmer mit Cremetuben, -flaschen, Puder, Pulvern, Badeingredienzien – und in ihrem Schlafzimmer mit einem Flacon Kölnisch Wasser tat?

Dabei wirkte sie planvoll, keineswegs erregt, so überzeugt und überzeugend, daß Else W. und Konrad B. nichts unternahmen.

36

Es hat natürlich ziemlich viele Theorien gegeben, die den Zeitpunkt herauszuanalysieren versuchten, an dem Katharina die ersten Mordabsichten faßte oder den Mordplan ausdachte und sich dazu entschloß, ihn auszuführen. Manche denken, daß schon der erste Artikel am Donnerstag in der ZEITUNG genügt habe, wieder andere halten den Freitag für den entscheidenden Tag, weil an diesem Tag die ZEITUNG immer noch keinen Frieden gab und Katharinas Nachbarschaft und Wohnung, an der sie so hing, sich als (subjektiv jedenfalls) zerstört erwies; der anonyme Anrufer, die anonyme Post – und dann noch die ZEITUNG vom Samstag und außerdem (hier wird vorgegriffen!) die SONNTAGSZEITUNG. Sind solche Spekulationen nicht überflüssig: Sie hat den Mord geplant und ausgeführt – und damit basta! Gewiß ist, daß sich in ihr etwas »gesteigert hat« – daß die Äußerungen ihres ehemaligen Ehemanns sie besonders aufgebracht haben, und ganz gewiß ist, daß alles, was dann in der SONNTAGSZEI-

TUNG stand, wenn nicht auslösend, so doch keineswegs beruhigend gewirkt haben kann.

37

Bevor der Rückstau endgültig als beendet betrachtet werden und wieder auf Samstag geblendet werden kann, muß nur noch über den Verlauf des Freitagabends und der Nacht von Freitag auf Samstag bei Frau Woltersheim berichtet werden. Gesamtergebnis: überraschend friedlich. Ablenkungsversuche von Konrad Beiters, der Tanzmusik auflegte, südamerikanische sogar, und Katharina zum Tanzen bewegen wollte, scheiterten zwar, es scheiterte auch der Versuch, Katharina von der ZEITUNG und ihrer anonymen Post zu trennen; was ebenfalls scheiterte, war der Versuch, das alles als nicht so schrecklich wichtig und vorübergehend darzustellen. Hatte man nicht Schlimmeres überstanden: das Elend der Kindheit, die Ehe mit diesem miesen Brettloh, die Trunksucht und »milde ausgedrückt Verkommenheit von Mutter, die ja letzten Endes doch auch für Kurts Straucheln verantwortlich ist«. War Götten nicht zunächst in Sicherheit und sein Versprechen, sie zu holen, ernst zu nehmen? War nicht Karneval, und war man nicht finanziell gesichert? Gab's nicht so furchtbar nette Leute wie die Blornas, die Hiepertz, und war nicht auch der »eitle Fatzke« – man scheute sich immer noch, den Herrenbesuch beim Namen zu nennen – im Grunde eine belustigende und keineswegs eine bedrückende Erscheinung? Da widersprach Katharina und verwies auf den »idiotischen Ring und den affigen Briefumschlag«, die sie beide fürchterlich in die Klemme gebracht und sogar Ludwig in Verdacht gebracht hätten. Hatte sie wissen können, daß dieser Fatzke sich seine Eitelkeit so viel würde kosten lassen? Nein, nein, belustigend fand sie den nun gar nicht. Nein. Als man praktische Dinge besprach – etwa, ob sie denn eine neue Wohnung suchen und ob man nicht schon überlegen wolle, wo –, wich Katharina aus und sagte, das einzig praktische, was sie vorhabe, wäre, sich ein Karnevalskostüm zu machen, und sie bat Else leihweise um ein großes Bettuch, denn sie habe vor, angesichts der Scheichmode selbst am Samstag oder Sonntag als Beduinenfrau »loszuziehen«. Was ist denn eigentlich Schlimmes passiert? Fast nichts, wenn man es genau betrachtet, oder besser gesagt: fast nur Positives, denn immerhin hat Katharina den, »der da kommen sollte«, wirklich getroffen, hat mit ihm »eine Liebesnacht verbracht«, nun gut, sie ist verhört bzw. vernommen worden, und offenbar ist Ludwig wirklich »kein

Schmetterlingsfänger«. Dann hat es den üblichen Dreck in der ZEITUNG gegeben, ein paar Säue haben anonym angerufen, andere haben anonym geschrieben. Geht denn das Leben nicht weiter? Ist Ludwig nicht bestens – und wie nur sie, sie ganz allein weiß, geradezu komfortabel untergebracht? Jetzt nähen wir ein Karnevalskostüm, in dem Katharina entzückend aussehen wird, einen weißen Frauenburnus; hübsch wird sie darin »losziehen«.

Schließlich verlangt sogar die Natur ihr Recht, und man schläft ein, nickt ein, erwacht wieder, nickt wieder ein. Trinkt man schließlich ein Gläschen miteinander? Warum nicht? Ein durch und durch friedliches Bild: eine junge Frau, die über einer Näharbeit eingenickt ist, während eine ältere Frau und ein älterer Mann sich vorsichtig um sie herumbewegen, damit »die Natur ihr Recht bekommt«. Die Natur bekommt so sehr recht, daß Katharina nicht einmal vom Telefon, das gegen zweieinhalb Uhr früh klingelt, geweckt wird. Wieso fangen plötzlich der nüchternen Frau Woltersheim die Hände an zu flattern, wenn sie den Telefonhörer ergreift? Erwartet sie anonyme Zärtlichkeiten, wie sie sie ein paar Stunden vorher erfahren hat? Natürlich ist zweieinhalb Uhr morgens eine bange Zeit zum Telefonieren, aber sie ergreift den Hörer, den ihr Beiters sofort aus der

Hand nimmt, und als er »Ja?« sagt, wird sofort wieder aufgelegt. Und es klingelt wieder, und wieder wird, sobald er aufgenommen, noch bevor er »Ja?« gesagt hat, aufgelegt. Natürlich gibt es auch Leute, die einem den Nerv töten wollen, seitdem sie aus der ZEITUNG erfahren haben, wie man heißt und wo man wohnt, und es ist besser, den Hörer nicht mehr aufzulegen.

Und da hat man sich vorgenommen, Katharina wenigstens vor der Samstagsausgabe der ZEITUNG zu bewahren, sie aber hat ein paar Augenblicke wahrgenommen, in denen Else W. eingeschlafen ist und Konrad B. sich im Badezimmer rasiert, ist auf die Straße geschlichen, wo sie in der Morgendämmerung den ersten besten ZEITUNGSkasten aufgerissen und eine Art Sakrileg begangen hat, denn sie hat das VERTRAUEN der ZEITUNG mißbraucht, indem sie eine ZEITUNG herausnahm, ohne zu bezahlen! In diesem Augenblick kann der Rückstau für vorläufig beendet erklärt werden, denn es ist genau um die Zeit, in der die Blornas an eben diesem Samstag zerknittert, gereizt und traurig aus dem Nachtzug steigen und die gleiche Ausgabe der ZEITUNG erwischen, die sie später zu Hause studieren werden.

38

Bei Blornas ist ein ungemütlicher Samstagmorgen,
äußerst ungemütlich, nicht nur wegen der fast
schlaflosen, zerrüttelten und verschüttelten Nacht
im Schlafwagen, nicht nur wegen der ZEITUNG,
von der Frau Blorna sagte, diese Pest verfolge einen in die ganze Welt, nirgendwo sei man sicher;
ungemütlich nicht nur wegen der vorwurfsvollen
Telegramme einflußreicher Freunde und Ge-
schäftsfreunde, von der »Lüstra«, auch Hachs wegen, den man zu früh, einfach zu früh (und auch
wieder zu spät, wenn man bedachte, daß man ihn
besser schon am Donnerstag angerufen hätte) am
Tage anrief. Er war nicht sehr freundlich, sagte,
die Vernehmung von Katharina sei abgeschlossen,
er könne nicht sagen, ob ein Verfahren gegen sie
eröffnet würde, im Augenblick bedürfe sie sicher
des Beistands, aber noch nicht eines Rechtsbei-
standes. Hatte man vergessen, daß Karneval war
und auch Staatsanwälte ein Recht auf einen Feierabend und gelegentliche Feiern haben? Nun, immerhin kennt man sich schon seit 24 Jahren, hat
miteinander studiert, gepaukt, Lieder gesungen,
sogar Wanderungen gemacht, und da nimmt man
die ersten Minuten schlechter Laune nicht so
wichtig, zumal man selbst sich so äußerst ungemütlich fühlt, aber dann – und das von einem

Staatsanwalt – die Bitte, Weiteres doch lieber mündlich und nicht gerade fernmündlich zu besprechen. Ja, belastet sei sie, manches sei äußerst unklar, aber nicht mehr, vielleicht später am Nachmittag mündlich. Wo? In der Stadt. Ambulierenderweise am besten. Im Foyer des Museums. Sechzehnuhrdreißig. Keine telefonische Verbindung mit Katharinas Wohnung, keine mit Frau Woltersheim, keine beim Ehepaar Hiepertz.

Ungemütlich auch, daß das Fehlen von Katharinas ordnender Hand so rasch und so deutlich spürbar wurde. Wie kommt es bloß, daß innerhalb einer halben Stunde, obwohl man doch nur Kaffee aufgegossen, Knäckebrot, Butter und Honig aus dem Schrank geholt und die paar Gepäckstücke in die Diele gestellt hat, schon das Chaos ausgebrochen zu sein scheint, und schließlich wurde sogar Trude gereizt, weil er sie immer wieder und immer wieder fragte, wo sie denn da einen Zusammenhang sehe zwischen Katharinas Affäre und Alois Sträubleder oder gar Lüding, und sie ihm so gar nicht entgegenkam, nur immer wieder in ihrer gespielt naiv-ironischen Art, die er sonst mochte, an diesem Morgen aber gar nicht schätzte, auf die beiden Ausgaben der ZEITUNG verwies, und ob ihm da nicht ein Wort besonders aufgefallen sei, und als er fragte welches, verweigerte sie die Auskunft mit dem sarkastischen Hinweis, sie wolle seinen Scharfsinn auf die Probe stellen, und er las wieder und wieder »diesen Dreck, diesen verfluchten Dreck, der einen über die ganze Welt hin verfolgt«, las es immer wieder, unkonzentriert, weil der Ärger über seine verfälschte Äußerung und die »rote Trude« immer wieder hochkam, bis er schließlich kapitulierte und Trude demütig bat, ihm doch zu helfen; er sei so außer sich, daß sein Scharfsinn versage, und außerdem sei er ja seit Jahren nur noch als Industrie-, kaum noch als Kriminalanwalt tätig, woraufhin sie trocken sagte: »Leider«, dann aber Erbarmen zeigte und sagte: »Fällt dir denn das Wort Herrenbesuch nicht auf, und ist dir nicht aufgefallen, daß ich das Wort Herrenbesuch auf die Telegramme bezogen habe? Würde etwa jemand diesen Götting – nein Götten, schau dir doch seine Fotos mal genau an –, würde jemand ihn, ganz gleich, wie er gekleidet sein mag, denn als Herrenbesuch bezeichnen? Nein, nicht wahr, so etwas nennt man in der Sprache freiwillig spitzelnder Mitbewohner immer noch Männerbesuch, und ich verwandle mich auf der Stelle in eine Prophetin und sage dir, daß wir innerhalb von spätestens einer Stunde ebenfalls Herrenbesuch bekommen, und was ich dir außerdem prophezeie: Ärger, Konflikte – und möglicherweise das Ende einer alten Freundschaft, Ärger auch mit deiner roten Trude, und mehr als Ärger mit Katharina, die zwei lebensgefährliche Eigenschaften hat: Treue und Stolz, und sie wird niemals, niemals zugeben, daß sie diesem Jungen einen Fluchtweg gezeigt hat, den wir, sie und ich, gemeinsam studiert haben. Ruhig, mein Liebster, ruhig: es wird nicht rauskommen, aber genaugenommen bin ich schuld, daß dieser Götting, nein Götten, ungesehen aus ihrer Wohnung verschwinden konnte. Du erinnerst dich sicher nicht mehr, daß ich einen Plan der gesamten Heizungs-, Lüftungs-, Kanalisations- und Leitungsanlagen von ›Elegant am Strom wohnen‹ in meinem Schlafzimmer hängen hatte. Da waren die Heizungsschächte rot, die Lüftungsschächte blau, die Kabelleitungen grün und die Kanalisation gelb eingezeichnet. Dieser Plan hat Katharina derart fasziniert – wo sie doch selbst so eine ordentliche, planende, fast genial planende Person ist –, daß sie immer lange davorstand und mich immer wieder nach Zusammenhängen und Bedeutungen dieses ›abstrakten Gemäldes‹ – so nannte sie es – fragte, und ich, ich war drauf und dran, ihr eine Kopie davon zu besorgen und zu schenken. Ich bin ziemlich erleichtert, daß ich's nicht getan habe, stell dir vor, man hätte eine Kopie des Plans bei ihr gefunden – dann wäre die Verschwörungstheorie, die Idee des Umschlagplatzes perfekt untermauert, die Verbindung Rote-Trude-Banditen-Katharina-Herrenbesuch. So ein Plan wäre natürlich für alle Sorten von Ein- und Ehebrechern, die nicht gesehen werden wollen, eine ideale Anleitung, ungesehen ein- und auszugehen. Ich selbst habe ihr noch erklärt, welche Höhe die einzelnen Gänge haben: wo man aufrecht gehen, wo man gebückt gehen kann, wo man kriechen muß, bei Rohrbrüchen und Kabelpannen. So, nur so kann dieser liebenswürdige junge Gentleman, von dessen Zärtlichkeiten sie jetzt nur noch träumen darf, der Polizei tritschen gegangen sein, und wenn er wirklich ein Bankräuber ist, wird er das System durchschaut haben. Vielleicht ist auch der Herrenbesuch so ein- und ausgegangen. Diese modernen Wohnblocks erfordern ganz andere Überwachungsmethoden als die altmodischen Mietshäuser. Du mußt der Polizei und der Staatsanwaltschaft gelegentlich mal 'nen Tip geben. Die bewachen die Haupteingänge, vielleicht das Foyer und den Aufzug, aber da gibt es außerdem einen Arbeitsaufzug, der direkt in den Keller führt – und da kriecht einer ein paar hundert Meter, hebt nur irgendwo einen Kanaldeckel und ist perdu. Glaub mir: Jetzt hilft nur noch beten, denn Schlagzeilen in der ZEITUNG in diesem oder jenem Zusammenhang kann er nicht brauchen, was er jetzt braucht, ist eine direkte handfeste Manipulation der Ermittlungen und der Berichterstattung darüber, und was er ebenso fürchtet wie die Schlagzeilen, ist das bittere und säuerliche Gesicht einer gewissen Maud, die seine ihm rechtmäßig und kirchlich angetraute Frau ist, von der er außerdem vier Kinder hat. Hast du denn nie bemerkt, wie ›jungenhaft fröhlich‹, fast ausgelassen – und ich muß schon sagen: richtig nett er die paar Mal mit Katharina getanzt hat, und wie er sich geradezu aufdrängte, sie nach Hause zu bringen – und wie jungenhaft enttäuscht er war, als sie ihren eigenen Wagen anschaffte? Das, was er brauchte, wonach sein Herz begehrte, so ein einmalig nettes Ding wie Katharina, nicht leicht- fertig und doch – wie nennt ihr das noch – liebes- fähig, ernst und doch jung und so hübsch, daß sie's selber nicht wußte. Hat sie nicht auch dein Männerherz ein wenig erfreut?«

Ja, ja das hatte sie: sein Männerherz erfreut, und er gab es zu, gab auch zu, daß er sie mehr, viel mehr als nur gern habe, und sie, Trude, wisse doch, daß jeder, nicht nur Männer, mal so An- wandlungen hätte, einfach mal jemand so in den Arm zu nehmen und vielleicht mehr – aber Katha- rina, nein, es war da etwas, das ihn nie, niemals zum Herrenbesuch bei ihr gemacht hätte, und wenn ihn etwas gehindert habe, ja es ihm unmög- lich gemacht habe, zum Herrenbesuch zu werden – oder besser gesagt: das zu versuchen –, so wäre es nicht, und sie wisse, wie er das meine, nicht der

Respekt vor ihr und die Rücksichtnahme auf sie, Trude, gewesen, sondern Respekt vor Katharina, ja, Respekt, fast Ehrfurcht, mehr, liebevolle Ehrfurcht vor ihrer, ja verdammt, Unschuld – und mehr, mehr als Unschuld, für das er keinen Ausdruck finde. Es sei wohl dieses merkwürdige, herzliche Kühle an Katharina und – obwohl er fünfzehn Jahre älter sei als Katharina und es weiß Gott im Leben zu was gebracht habe – wie Katharina ihr verkorkstes Leben angepackt, geplant, organisiert habe – das habe ihn, hätte er überhaupt je Gedanken dieser Art gehabt, gehindert, weil er Angst gehabt habe, sie oder ihr Leben zu zerstören – denn sie sei so verletzlich, so verdammt verletzlich, und er würde, wenn sich herausstellen sollte, daß Alois wirklich der Herrenbesuch gewesen sei, er würde ihm – schlicht gesagt – einen »in die Fresse hauen«; ja, man müsse ihr helfen, helfen, sie sei diesen Tricks, diesen Verhören, diesen Vernehmungen nicht gewachsen – und nun sei es zu spät, und er müsse, müsse im Laufe des Tages Katharina auftreiben ... aber hier wurde er in seinen aufschlußreichen Meditationen unterbrochen, weil Trude mit ihrer unvergleichlichen Trockenheit feststellte: »Der Herrenbesuch ist soeben vorgefahren.«

39

Es soll hier gleich festgestellt werden, daß Blorna Sträubleder, der da tatsächlich in einem bombastischen Mietwagen vorgefahren war, nicht in die Fresse schlug. Es soll hier nicht nur möglichst wenig Blut fließen, auch die Darstellung körperlicher Gewalt soll, wenn sie schon nicht vermieden werden kann, auf jenes Minimum beschränkt werden, das die Pflicht der Berichterstattung auferlegt. Das bedeutet nicht, daß es nun etwa gemütlicher wurde bei den Blornas, im Gegenteil: Es wurde noch ungemütlicher, denn Trude B. konnte sich nicht verkneifen, den alten Freund, während sie weiterhin in ihrer Kaffeetasse rührte, mit den Worten zu begrüßen »Hallo, Herrenbesuch«. »Ich nehme an«, sagte Blorna verlegen, »Trude hat mal wieder den Nagel auf den Kopf getroffen.« – »Ja«, sagte Sträubleder, »fragt sich nur, ob das immer taktvoll ist.«

Es kann hier festgestellt werden, daß es zu fast unerträglichen Spannungen zwischen Frau Blorna und Alois Sträubleder gekommen war, als jener einmal sie nicht gerade verführen, aber doch erheblich mit ihr flirten wollte und sie ihm – auf ihre trockene Art – zu verstehen gab, daß er sich für unwiderstehlich halte, es aber nicht sei, jedenfalls für sie nicht. Unter diesen Umständen wird man verstehen, daß Blorna Sträubleder sofort in sein Arbeitszimmer führte und seine Frau bat, sie allein zu lassen und in der Zwischenzeit (»Zeit zwischen was?« fragte Frau Blorna) alles, alles zu tun, um Katharina aufzutreiben.

40

Warum kommt einem plötzlich sein eigenes Arbeitszimmer so scheußlich vor, fast durcheinander und schmutzig, obwohl kein Stäubchen zu entdecken ist und alles am rechten Platz? Was macht die roten Ledersessel, in denen man so manches gute Geschäft abgewickelt und so manches vertrauliche Gespräch geführt hat, in denen man wirklich bequem sitzen und Musik hören kann, plötzlich so widerwärtig, sogar die Bücherregale ekelhaft und den handsignierten Chagall an der Wand geradezu verdächtig, als wäre es eine vom Künstler selbst ausgeführte Fälschung? Aschenbecher, Feuerzeug, Whiskyflacon – was hat man gegen diese harmlosen, wenn auch kostspieligen Gegenstände? Was macht einen so ungemütlichen Tag nach einer äußerst ungemütlichen Nacht so unerträglich und die Spannung zwischen alten Freunden so stark, daß die Funken fast überspringen? Was hat man gegen die Wände, die, sanftgelb rauhfaserüberpinselt, mit moderner, mit Gegenwartsgraphik geschmückt sind?

»Ja, ja«, sagte Alois Sträubleder, »ich bin eigentlich nur gekommen, um dir zu sagen, daß ich in *dieser* Sache deine Hilfe nicht mehr brauche. Du hast mal wieder die Nerven verloren, auf dem Flugplatz da im Nebel. Eine Stunde nachdem ihr die Nerven oder die Geduld verloren habt, hat sich nämlich der Nebel gelichtet, und ihr hättet immer noch gegen 18.30 Uhr hier sein können. Ihr hättet sogar bei ein wenig ruhigem Nachdenken noch in München den Flughafen anrufen, herausfinden können, daß keine Behinderung mehr vorlag. Aber Schwamm darüber. Um nicht mit falschen gezinkten Karten zu spielen – selbst wenn kein Nebel gewesen und das Flugzeug planmäßig abgeflogen wäre, wärst du zu spät gekommen, weil der entscheidende Teil der Vernehmung dann längst abgeschlossen gewesen und im übrigen nichts mehr zu verhindern gewesen wäre.«

»Ich kann gegen die ZEITUNG ohnehin nicht an«, sagte Blorna.

»Die ZEITUNG«, sagte Sträubleder, »stellt keine Gefahr dar, das hat Lüding in der Hand, aber es gibt ja auch noch Zeitungen, und ich kann jede Art von Schlagzeilen gebrauchen, nur diese Art nicht, die mich mit den Banditen in Verbindung bringt. Eine romantische Frauengeschichte bringt mich höchstens privat in Schwierigkeiten, nicht öffentlich. Da würde nicht einmal ein Foto mit einer so attraktiven Frau wie Katharina Blum schaden, im übrigen wird die Herrenbesuchstheorie fallengelassen und weder Schmuck noch Brief – nun ja, ich habe ihr einen ziemlich kostbaren Ring geschenkt, den man gefunden hat, und ein paar Briefe geschrieben, von denen man nur einen Umschlag gefunden hat – werden Schwierigkeiten bereiten. Schlimm ist, daß dieser Tötges unter einem anderen Namen für Illustrierte die Sachen schreibt, die er in der ZEITUNG nicht bringen darf, und daß – nun ja – Katharina ihm ein Exklusivinterview versprochen hat. Ich habe das vor wenigen Minuten von Lüding erfahren, der auch dafür ist, daß Tötges das Interview wahrnimmt, weil man ja die ZEITUNG in der Hand hat, aber man hat keinen Einfluß auf Tötges' weitere journalistische Aktivitäten, die er über einen Strohmann abwickelt. Du scheinst überhaupt nicht informiert zu sein, wie?« – »Ich habe keine Ahnung«, sagte Blorna.

»Ein merkwürdiger Zustand für einen Anwalt, dessen Mandant ich immerhin bin; das kommt davon, wenn man in Rüttel- und Schüttelzügen sinnlos Zeit verplempert, anstatt sich einmal mit Wetterämtern in Verbindung zu setzen, die einem hätten sagen können, daß der Nebel sich bald lichten wird. Du hast also offenbar noch keine Verbindung mit ihr?«

»Nein, du denn?«

»Nein, nicht direkt. Ich weiß nur, daß sie vor ungefähr einer Stunde bei der ZEITUNG angerufen und Tötges für morgen nachmittag ein Exklusiv-Interview versprochen hat. Er hat angenommen. Und es ist da noch eine Sache, die mir mehr, bedeutend mehr Kummer, die mir regelrecht Magenschmerzen verursacht« (hier wirkte Sträubleders Gesicht fast bewegt und seine Stimme bekümmert), »du kannst mich ab morgen beschimpfen, soviel du willst, weil ich euer Vertrauen ja wirklich mißbraucht habe – aber andererseits leben wir ja wirklich in einem freien Land, wo es auch gestattet ist, ein freies Liebesleben zu führen, und du mußt mir glauben, ich würde alles tun, um ihr zu helfen, ich würde sogar meinen Ruf aufs Spiel setzen, denn – du darfst getrost lachen – ich liebe diese Frau, nur: Ihr ist nicht mehr zu helfen – mir ist noch zu helfen – sie läßt sich einfach nicht helfen...«

»Und gegen die ZEITUNG kannst du ihr auch nicht helfen, gegen diese Schweine?«

»Mein Gott, du mußt das nicht so schwernehmen mit der ZEITUNG, auch wenn sie euch jetzt ein bißchen in die Zange nehmen. Wir wollen uns doch hier nicht über Boulevardjournalismus und Pressefreiheit streiten. Kurz gesagt, ich hätte gern, wenn du bei dem Interview dabeinsein könntest, als mein *und* ihr Anwalt. Das Heikelste ist nämlich bisher weder bei den Vernehmungen noch in der Presse herausgekommen: Ich habe ihr vor einem halben Jahr den Schlüssel zu unserem Zweithaus in Kohlforstenheim regelrecht aufgedrängt. Den Schlüssel hat man weder bei der Haussuchung noch bei der Leibesvisitation gefunden, aber sie *hat* ihn oder hat ihn wenigstens gehabt, wenn sie ihn nicht einfach weggeworfen hat. Es war einfach Sentimentalität, nenne es, wie du willst, aber ich wollte, daß sie einen Schlüssel zum Haus da hat, weil ich die Hoffnung nicht aufgeben wollte, daß sie mich mal da besucht. Glaub mir doch, daß ich ihr helfen, daß ich ihr beistehen, daß ich sogar hingehen würde und bekennen würde: Seht her, ich bin der Herrenbesuch – aber ich weiß doch: Mich würde sie verleugnen, ihren Ludwig nie.«

Es war etwas ganz Neues, Überraschendes in Sträubleders Gesicht, das in Blorna fast Mitleid erweckte, mindestens gewiß aber Neugierde; es war etwas fast Demütiges, oder war es Eifersucht? »Was war da mit Schmuck, mit Briefen und nun dem Schlüssel?«

»Verdammt noch mal, Hubert, begreifst du denn immer noch nicht? Es ist etwas, was ich weder

Lüding noch Hach noch der Polizei sagen kann –
ich bin sicher, daß sie den Schlüssel ihrem Ludwig
gegeben hat und daß dieser Kerl jetzt seit zwei
Tagen da hockt. Ich habe einfach Angst, um Katharina, um die Polizeibeamten, auch um diesen
dummen jungen Bengel, der da vielleicht in meinem Haus in Kohlforstenheim hockt. Ich möchte,
daß er dort verschwindet, bevor sie ihn entdecken,
möchte gleichzeitig, daß sie ihn schnappen, damit
die Sache ein Ende hat. Verstehst du jetzt? Und zu
was rätst du?«

»Du könntest dort anrufen, in Kohlforstenheim, meine ich.«

»Und du glaubst, daß er, wenn er da ist, ans
Telefon geht?«

»Dann mußt du die Polizei anrufen, es gibt keinen anderen Weg. Schon um Unheil zu verhüten.
Ruf sie notfalls anonym an. Wenn auch nur die
geringste Möglichkeit besteht, daß Götten in deinem Haus ist, mußt du sofort die Polizei verständigen. Sonst tue ich es.«

»Damit mein Haus und mein Name doch im
Zusammenhang mit diesem Banditen in die
Schlagzeilen kommen? Ich dachte an etwa anderes ... ich dachte, daß du vielleicht mal hinfahren
könntest, ich meine nach Kohlforstenheim, so als
mein Anwalt, um mal nach dem Rechten zu sehen.«

»In diesem Augenblick? Am Karnevalssamstag, wo die ZEITUNG schon weiß, daß ich meinen Urlaub überstürzt abgebrochen habe – und das habe ich nur getan, um in deinem Wochenendhaus nach dem Rechten zu sehen? Ob der Eisschrank noch funktioniert, wie? Ob der Thermostat der Ölheizung noch richtig eingestellt ist, keine Scheibe eingeworfen, die Bar noch ausreichend bestückt und die Bettwäsche nicht klamm? Dazu kommt ein hochangesehener Industrieanwalt, der eine Luxusvilla mit Swimming-pool besitzt und mit der ›roten Trude‹ verheiratet ist, überstürzt aus dem Urlaub? Hältst du das wirklich für eine kluge Idee, wo doch ganz sicher die Herren ZEITUNGS-Reporter jede meiner Bewegungen beobachten – ich fahre, sozusagen kaum dem Schlafwagen entstiegen, zu deiner Villa hinaus, um zu sehen, ob die Krokusse bald durchbrechen oder die Schneeglöckchen schon raus sind? Hältst du das wirklich für eine gute Idee – ganz abgesehen davon, daß dieser liebenswürdige Ludwig schon bewiesen hat, daß er ganz gut schießen kann?«

»Verdammt, ich weiß nicht, ob deine Ironie oder deine Witze hier noch angebracht sind. Ich bitte dich als meinen Anwalt und Freund um einen Dienst, der nicht einmal persönlicher, sondern mehr noch staatsbürgerlicher Natur ist – und du kommst mir mit Schneeglöckchen. Diese Sache ist seit gestern so geheim, daß wir seit heute früh keinerlei Informationen mehr von dort bekommen haben. Alles, was wir wissen, wissen wir von der ZEITUNG, zu der Lüding zum Glück gute Beziehungen hat. Staatsanwaltschaft und Polizei telefonieren nicht einmal mehr mit dem Innenministerium, zu dem Lüding ebenfalls gute Beziehungen hat. Es geht um Leben und Tod, Hubert.«

In diesem Augenblick kam Trude ohne anzuklopfen herein, mit dem Transistor in der Hand und sagte ruhig: »Um Tod geht's nicht mehr, nur noch um Leben, Gott sei Dank. Sie haben den Jungen geschnappt, dummerweise hat er geschossen und ist beschossen worden, verletzt, aber nicht lebensgefährlich. In deinem Garten, Alois, in Kohlforstenheim, zwischen Swimming-pool und Pergola. Man spricht von der Nullkommafünf-Millionen-Luxusvilla eines Lüding-Kompagnons. Übrigens gibt es wirklich noch Gentlemen: Das erste, was unser guter Ludwig gesagt hat: daß Katharina überhaupt nichts mit der Sache zu tun hat; es sei eine rein private Liebesaffäre, die nicht das geringste mit den Straftaten zu tun habe, die man ihm vorwerfe, die er aber nach wie vor abstreite. Wahrscheinlich mußt du ein paar Scheiben ersetzen lassen, Alois – es ist da ganz schön rumgeballert worden. Dein Name ist noch nicht genannt worden, aber vielleicht solltest du doch Maud anrufen, die sicher erregt und trostbedürftig ist. Übrigens hat man gleichzeitig mit Götten an anderen Orten drei seiner angeblichen Komplizen geschnappt. Das Ganze gilt als triumphaler Erfolg eines gewissen Kommissars Beizmenne. Und nun mach dich auf die Socken, lieber Alois, und statte zur Abwechslung deiner guten Frau mal einen Herrenbesuch ab.«

Man kann sich vorstellen, daß es an dieser Stelle in Blornas Arbeitszimmer fast zu körperlichen Auseinandersetzungen gekommen wäre, die dem Milieu und der Ausstattung des Raumes keineswegs entsprachen. Sträubleder soll – *soll* – tatsächlich versucht haben, Trude Blorna an die Kehle zu springen, von ihrem Mann aber daran gehindert und drauf hingewiesen worden sein, daß er sich an einer Dame doch nicht vergreifen wolle. Sträubleder soll – *soll* – daraufhin gesagt haben, er sei sich nicht sicher, ob die Definition Dame auf eine so scharfzüngige Frau noch zutreffe, und es gebe eben Worte, die man in gewissen Zusammenhängen und vor allem, wenn tragische Ereignisse vermeldet würden, nicht ironisch verwenden dürfe, und wenn er noch einmal, noch ein einziges Mal das ominöse Wort zu hören bekomme, dann – ja, was dann – nun, dann sei es aus. Er hatte das Haus noch kaum verlassen, und Blorna hatte noch keine Gelegenheit, Trude zu sagen, sie sei nun doch vielleicht etwas zu weit gegangen, als diese ihm das Wort regelrecht abschnitt und sagte: »Katharinas Mutter ist diese Nacht gestorben. Ich habe sie tatsächlich in Kuir-Hochsackel aufgetrieben.«

41

Bevor die letzten Um-, Ein-, Ablenkungsmanöver gestartet werden, muß hier eine sozusagen technische Zwischenbemerkung gestattet werden. In dieser Geschichte passiert zu viel. Sie ist auf eine peinliche, kaum zu bewältigende Weise handlungsstark: zu ihrem Nachteil. Natürlich ist es ziemlich betrüblich, wenn eine freiberuflich arbeitende Hausangestellte einen Journalisten erschießt, und ein solcher Fall muß aufge- oder wenigstens versuchsweise erklärt werden. Aber was macht man mit Erfolgsanwälten, die einer Hausangestellten wegen den sauer verdienten Skiurlaub abbrechen? Mit Industriellen (die im Nebenberuf Professor und Parteimanager sind), die in einer schon unreifen Sentimentalität eben dieser Hausangestellten Schlüssel zu Zweitwohnungen (und sich selbst dazu) geradezu aufdrängen; beides ohne Erfolg, wie man weiß; die einerseits Publicity wollen, aber nur eine bestimmte Art; lauter Dinge und Leute, die einfach nicht synchronisierbar sind und dauernd den Fluß (bzw. den linearen Handlungsablauf) stören, weil sie sozusagen immun sind. Was macht man mit Kriminalbeamten, die dauernd nach Zäpfchen verlangen und sie auch bekommen? Kürzer gesagt: Es ist alles zu durchlässig und doch im entscheidenden Augenblick für einen Berichterstatter nicht durchlässig genug, weil zwar das eine oder andere (etwa von Hach und einigen Polizeibeamten und -beamtinnen) zu erfahren ist, aber nichts, rein gar nichts von dem, was sie sagen, auch nur andeutungsweise beweiskräftig wäre, weil es vor keinem Gericht bestätigt oder auch nur ausgesagt würde. Es hat keine Zeugniskraft! Nicht den geringsten Öffentlichkeitswert. Zum Beispiel diese ganze Zäpfchenaffäre. Das Anzapfen von Telefonleitungen dient natürlich der Ermittlung, das Ergebnis darf aber – da es von einer anderen als der ermittelnden Behörde vorgenommen wird – in einem öffentlichen Verfahren nicht nur nicht verwendet, nicht einmal erwähnt werden. Vor allem: Was passiert in der sogenannten Psyche der Telefonzapfer? Was denkt sich ein unbescholtener Beamter, der nichts als seine Pflicht tut, der sozusagen, wenn nicht unter Befehls-, dann aber sicher unter Broterwerbsnotstand seine (ihm möglicherweise widerwärtige) Pflicht tut, was denkt er sich, wenn er mit anhören muß, wie jener unbekannte Hausbewohner, den wir hier kurz den Zärtlichkeitsanbieter nennen wollen, mit einer so ausgesprochen netten, adretten, fast unbescholtenen Person wie Katharina Blum telefoniert? Gerät er in sittliche oder geschlechtliche oder in beide Arten von Erregung? Empört er sich, hat er Mitleid, bereitet es ihm gar ein merkwürdiges Vergnügen, wenn da eine Person, die den Spitznamen »Nonne« trägt, durch heiser hingestöhnte, drohend vorgebrachte Angebote in den Tiefen ihrer Seele verletzt wird? Nun, es geschieht so vieles im Vordergrund – mehr noch im Hintergrund. Was denkt sich ein harmloser, lediglich sein sauer verdientes Brot erwerbender Anzapfer zum Beispiel, wenn da ein gewisser Lüding, der hier gelegentlich erwähnt wurde, die Chefredaktion der ZEITUNG anruft und etwa sagt: »Sofort S. ganz raus, aber B. ganz rein.« Natürlich wird Lüding nicht angezapft, weil *er* beobachtet werden muß, sondern weil die Gefahr besteht, daß er – etwa von Erpressern, Polit-Gangstern etc. – angerufen wird. Wie soll so ein unbescholtener Mithörer wissen, daß mit S. Sträubleder gemeint ist, mit B. Blorna und daß man in der SONNTAGSZEITUNG nicht mehr über S., aber viel über B. wird lesen können. Und doch – wer soll das schon wissen oder auch nur ahnen – ist Blorna ein von Lüding äußerst geschätzter Anwalt, der fast unzählige Male sein Geschick bewiesen hat, national und international. Nichts anderes ist gemeint, wenn hier an anderer Stelle von Quellen gesprochen worden ist, die »zueinander nicht kommen können«, wie die Königskinder, denen die falsche Nonne die Kerze ausblies – und irgendeiner versank da ziemlich tief, ertrank. Und da läßt Frau Lüding durch ihre Köchin bei der Sekretärin ihres Mannes anrufen, um herauszubekommen, was Lüding wohl am Sonntag gern zum Nachtisch essen würde: Palatschinken mit Mohn? Erdbeeren mit Eis *und* Sahne oder nur mit Eis oder nur mit Sahne, woraufhin die Sekretärin, die ihren Chef nicht belästigen möchte, seinen Geschmack aber kennt, die aber möglicherweise auch nur Ärger bzw. Umstände verursachen will, der Köchin mit ziemlich spitzer Stimme erklärt, sie sei ganz sicher, daß Herr Lüding an diesem Sonntag Karamelpudding mit Krokantsauce vorziehen würde; die Köchin, die natürlich auch Lüdings Geschmack kennt, widerspricht und sagt, das sei ihr neu, ob die Sekretärin sicher sei, daß sie nicht ihren eigenen Geschmack mit dem des Herrn Lüding verwechsle, und ob sie nicht doch durchstellen könne, damit sie direkt mit Herrn Lüding über seine Nachtischwünsche sprechen könne. Daraufhin die Sekretärin, die gelegentlich mit Herrn Lüding als Konferenzsekretärin unterwegs ist und in irgendwelchen PALACE-Hotels oder Inter-Herbergen mit ihm ißt, behauptet, wenn *sie* mit ihm unterwegs sei, esse er immer Karamelpudding mit Krokantsauce; die Köchin: Aber am Sonntag sei er eben nicht mit ihr, der Sekretärin unterwegs, und ob es nicht möglich sei, daß Lüdings Nachtischwünsche eben abhängig seien von der Gesellschaft, in der er sich befinde. Etc. Etc. Schließlich wird noch lange über Palatschinken mit Mohn gestritten – und dieses ganze Gespräch wird auf Kosten des Steuerzahlers auf Tonband aufgenommen! Denkt der Tonbandspieler, der natürlich genau darauf achten muß, ob hier nicht ein Anarchistencode verwendet worden ist, ob mit Palatschinken nicht Handgranaten und bei Eis mit Erdbeeren Bomben gemeint sind – doch möglicherweise: Die haben Sorgen oder: Die Sorgen möchte ich haben, denn ihm ist möglicherweise gerade die Tochter durchgebrannt oder der Sohn dem Hasch verfallen oder die Miete mal wieder erhöht worden, und das alles – diese Tonbandaufnahmen – nur, weil gegen Lüding einmal eine Bombendrohung ausgesprochen worden ist; so erfährt ein unschuldiger Beamter oder Angestellter endlich einmal, was Palatschinken mit Mohn sind, er, dem die schon als Hauptmahlzeit genügen würden, wenn auch nur *einer*.

Es passiert zuviel im Vordergrund, und wir

wissen nichts von dem, was im Hintergrund passiert. Könnte man sich die Tonbänder mal vorspielen lassen! Um endlich etwas zu erfahren, wie – oder ob überhaupt – intim etwa Frau Else Woltersheim mit Konrad Beiters ist. Was bedeutete das Wort Freund, wenn es um die Beziehung dieser beiden geht? Nennt sie ihn Schatz, Liebling, oder sagt sie nur Konrad oder Conny zu ihm; welche Art verbaler Zärtlichkeiten tauschen sie, wenn überhaupt, miteinander aus? Singt er, von dem bekannt ist, daß er einen guten, fast konzert-, aber mindestens chorreifen Bariton hat, ihr vielleicht am Telefon Lieder vor? Serenaden? Schlager? Arien? Oder wird da gar in grober Weise über vergangene oder geplante Intimitäten referiert? Das möchte man doch gern wissen, denn da den meisten Menschen zuverlässige telepathische Verbindungen versagt sind, greifen sie doch zum Telefon, das ihnen zuverlässiger erscheint. Sind sich die vorgesetzten Behörden darüber klar, was sie ihren Beamten und Angestellten da psychisch zumuten? Nehmen wir einmal an, eine vorübergehend verdächtige Person vulgärer Natur, der man ein »Zäpfchen« genehmigt hat, ruft ihren ebenfalls vulgären derzeitigen Liebespartner an. Da wir in einem freien Land leben und frei und offen miteinander sprechen dürfen, auch am Telefon, was kann da einer möglicherweise sittsamen oder gar sittenstrengen Person – ganz gleich welchen Geschlechts – alles um die Ohren sausen oder vom Tonband entgegenflattern? Ist das zu verantworten? Ist die psychiatrische Betreuung gewährleistet? Was sagt die Gewerkschaft öffentliche Dienste, Transport und Verkehr *dazu?* Da kümmert man sich um Industrielle, Anarchisten, Bankdirektoren, -räuber und -angestellte, aber wer kümmert sich um unsere nationalen Tonbandstreitkräfte? Haben die Kirchen dazu nichts zu sagen? Fällt der Fuldaer Bischofskonferenz oder dem Zentralkomitee deutscher Katholiken denn gar nichts mehr ein? Warum schweigt der Papst dazu? Ahnt denn keiner, was hier unschuldigen Ohren alles zwischen Karamelpudding und härtestem Porno zugemutet wird? Da werden junge Menschen aufgefordert, die Beamtenlaufbahn zu ergreifen – und wem werden sie ausgeliefert? Telefonsittenstrolchen. Hier ist endlich ein Gebiet, wo Kirchen und Gewerkschaften zusammenarbeiten könnten. Man könnte doch mindestens eine Art Bildungsprogramm für Abhörer planen. Tonbänder mit Geschichtsunterricht. Das kostet nicht viel.

42

Nun kehrt man reumütig in den Vordergrund zurück, begibt sich wieder an die unvermeidliche Kanalarbeit, und muß schon wieder mit einer Erklärung beginnen! Es war hier versprochen worden, daß kein Blut mehr fließen sollte, und es wird Wert darauf gelegt, festzustellen, daß mit dem Tod der Frau Blum, Katharinas Mutter, dieses Versprechen nicht gerade gebrochen wird. Es handelt sich ja nicht um eine Bluttat, wenn auch nicht um einen ganz normalen Sterbefall. Der Tod der Frau Blum wurde zwar gewaltsam herbeigeführt, aber unbeabsichtigt gewaltsam. Jedenfalls – das muß festgehalten werden – hatte der Todesherbeiführer weder mörderische noch totschlägerische, nicht einmal körperverletzende Absichten. Es handelt sich, wie nicht nur nachgewiesen, sondern sogar von jenem zugegeben wurde, um eben jenen Tötges, der selbst allerdings ein blutiges, beabsichtigt gewaltsames Ende fand. Tötges hatte schon am Donnerstag in Gemmelsbroich nach der Adresse von Frau Blum geforscht, diese auch erfahren, aber vergebens versucht, zu ihr ins Krankenhaus vorzudringen. Er war vom Pförtner, von der Stationsschwester Edelgard und vom leitenden Arzt Dr. Heinen drauf aufmerksam gemacht worden, daß Frau Blum nach einer schweren, aber erfolgreichen Krebsoperation sehr ruhebedürftig sei; daß ihre Genesung geradezu davon abhängig sei, daß sie keinerlei Aufregungen ausgesetzt werde und ein Interview nicht in Frage käme. Den Hinweis, Frau Blum sei durch die Verbindung ihrer Tochter zu Götten ebenfalls »Person der Zeitgeschichte«, konterte der Arzt mit dem Hinweis, auch Personen der Zeitgeschichte seien für ihn zunächst Patienten. Nun hatte Tötges während dieser Gespräche festgestellt, daß im Hause Anstreicher wirkten, und sich später Kollegen gegenüber geradezu damit gebrüstet, daß es ihm durch Anwendung des »simpelsten aller Tricks, nämlich des Handwerkertricks« – indem er sich einen Kittel, einen Farbtopf und einen Pinsel besorgte –, gelungen sei, am Freitagmorgen dennoch zu Frau Blum vorzudringen, denn nichts sei so ergiebig wie Mütter, auch kranke; er habe Frau Blum mit den Fakten konfrontiert, sei nicht ganz sicher, ob sie das alles kapiert habe, denn Götten sei ihr offenbar kein Begriff gewesen, und sie habe gesagt: »Warum mußte das so enden, warum mußte das so kommen?«, woraus er in der ZEITUNG machte: »So mußte es ja kommen, so mußte es ja enden.« Die kleine Veränderung der Aussage von Frau Blum erklärte er damit, daß er als Reporter drauf eingestellt und gewohnt sei, »einfachen Menschen Artikulationshilfe zu geben«.

43

Es war nicht einmal mit Gewißheit zu ermitteln, ob Tötges tatsächlich bis zu Frau Blum durchgedrungen war oder ob er, um die in der ZEITUNG zitierten Sätze von Katharinas Mutter als Ergebnis eines Interviews ausgeben zu können, seinen Besuch erlogen bzw. erfunden hat, um seine journalistische Cleverness oder Tüchtigkeit zu beweisen und nebenher ein bißchen anzugeben. Dr. Heinen, Schwester Edelgard, eine spanische Krankenschwester namens Huelva, eine portugiesische Putzfrau namens Puelco – alle halten es für ausgeschlossen, daß »dieser Kerl tatsächlich die Frechheit besessen haben könnte, das zu tun« (Dr. Heinen). Nun ist zweifellos nicht nur der, wenn auch möglicherweise erfundene, aber zugegebene Besuch bei Katharinas Mutter ganz gewiß ausschlaggebend gewesen, und es fragt sich natürlich, ob das Krankenhauspersonal einfach leugnet, was nicht sein durfte, oder Tötges, um die Zitate von Katharinas Mutter als wörtlich zu decken, den Besuch bei ihr erfand. Hier soll absolute Gerechtigkeit walten. Es gilt als erwiesen, daß Katharina sich ihr Kostüm schneiderte, um in eben jener Kneipe, aus der der unglückselige Schönner »mit einer Brumme abgehauen« war, Recherchen anzustellen, *nachdem* sie das Interview mit Tötges be-

reits verabredet hatte und *nachdem* die SONN-
TAGSZEITUNG einen weiteren Bericht von
Tötges publiziert hatte. Man muß also abwarten.
Sicher ist, nachgewiesen, belegt geradezu, daß
Dr. Heinen überrascht war vom plötzlichen Tod
seiner Patientin Maria Blum und daß er »unvor-
hergesehene Einwirkungen, wenn nicht nach-
weisen, so doch auch nicht ausschließen kann«.
Unschuldige Anstreicher sollen hier keinesfalls
verantwortlich gemacht werden. Die Ehre des
deutschen Handwerks darf nicht befleckt werden:
Weder Schwester Edelgard noch die ausländischen
Damen Huelva und Puelco können dafür garantie-
ren, daß alle Anstreicher – es waren vier von der
Firma Merkens aus Kuir – wirklich Anstreicher
waren, und da die vier an verschiedenen Stellen
arbeiteten, kann niemand wirklich wissen, ob da
nicht einer mit Kittel, Farbtopf und Pinsel ausgestattet sich eingeschlichen hat. Fest steht: Tötges
hat *behauptet* (von zugegeben kann nicht gesprochen werden, da sein Besuch nicht wirklich nach-
weisbar ist), bei Maria Blum gewesen zu sein und
sie interviewt zu haben, und diese Behauptung ist
Katharina bekannt geworden. Herr Merkens hat
auch zugegeben, daß natürlich nicht immer alle
vier Anstreicher gleichzeitig anwesend waren und
daß, *wenn* jemand sich hätte einschleichen wollen,
das eine Kleinigkeit gewesen wäre. Dr. Heinen hat

später gesagt, er würde die ZEITUNG auf das veröffentlichte Zitat von Katharinas Mutter hin anzeigen, einen Skandal hervorrufen, denn das sei, wenn wahr, ungeheuerlich – aber seine Drohung blieb so wenig ausgeführt wie das »In-die-Fresse-Hauen«, das Blorna Sträubleder angedroht hatte.

44

Gegen Mittag jenes Samstags, des 23. Februar 1974, trafen im Café Kloog in Kuir (es handelt sich um einen Neffen jenes Gastwirts, bei dem Katharina als junge Frau gelegentlich in der Küche und als Serviererin aushalf) die Blornas, Frau Wolters-heim, Konrad Beiters und Katharina endlich zu-sammen. Es fanden Umarmungen statt, und es flossen Tränen, sogar von Frau Blorna. Natürlich herrschte auch im Café Kloog Karnevalsstim-mung, aber der Besitzer, Erwin Kloog, der Katha-rina kannte, duzte und schätzte, stellte den Ver-sammelten sein privates Wohnzimmer zur Verfü-gung. Von dort aus telefonierte Blorna zunächst mit Hach und sagte die Verabredung für den Nachmittag im Foyer des Museums ab. Er teilte Hach mit, daß Katharinas Mutter wahrscheinlich infolge eines Besuchs von Tötges von der ZEI-

TUNG unerwartet gestorben sei. Hach war milder als am Morgen, bat, Katharina, die ihm gewiß nicht grolle, wozu sie auch keinen Grund habe, sein persönliches Beileid auszusprechen. Im übrigen stehe er jederzeit zur Verfügung. Er sei zwar jetzt sehr beschäftigt mit den Vernehmungen von Götten, werde sich aber freimachen; im übrigen habe sich aus den Vernehmungen Göttens bisher nichts Belastendes für Katharina ergeben. Er habe mit großer Zuneigung und fair von ihr und über sie gesprochen. Eine Besuchserlaubnis sei allerdings nicht zu erwarten, da keine Verwandtschaft vorliege und die Definition »Verlobte« sich bestimmt als zu vage herausstellen und nicht stichhaltig sein würde.

Es sieht ganz so aus, als sei Katharina bei der Nachricht vom Tode ihrer Mutter nicht gerade zusammengebrochen. Es scheint fast, als wäre sie erleichtert gewesen. Natürlich konfrontierte Katharina Dr. Heinen mit der Ausgabe der ZEITUNG, in der das Tötges-Interview erwähnt und ihre Mutter zitiert wurde, sie teilte aber keineswegs Dr. Heinens Empörung über das Interview, sondern meinte, diese Leute seien Mörder und Rufmörder, sie verachte das natürlich, aber offenbar sei es doch geradezu die Pflicht dieser Art Zeitungsleute, unschuldige Menschen um Ehre, Ruf und Gesundheit zu bringen. Dr. Heinen, der irrigerweise eine Marxistin in ihr vermutete (wahrscheinlich hatte auch er die Anspielungen von Brettloh, Katharinas Geschiedenem, in der ZEITUNG gelesen), war ein wenig erschrocken über ihre Kühle und fragte sie, ob sie das – diese ZEITUNGSmasche – für ein Strukturproblem halte. Katharina wußte nicht, was er meinte, und schüttelte den Kopf. Sie ließ sich dann von Schwester Edelgard in die Leichenkammer führen, die sie gemeinsam mit Frau Woltersheim betrat. Katharina zog selbst das Leichentuch vom Gesicht ihrer Mutter, sagte »Ja«, küßte sie auf die Stirn; als sie von Schwester Edelgard aufgefordert wurde, ein kurzes Gebet zu sprechen, schüttelte sie den Kopf und sagte »Nein«. Sie zog das Tuch wieder über das Gesicht ihrer Mutter, bedankte sich bei der Nonne, und erst während sie die Leichenkammer verließ, fing sie an zu weinen, erst leise, dann heftiger, schließlich hemmungslos. Vielleicht dachte sie auch an ihren verstorbenen Vater, den sie als sechsjähriges Kind ebenfalls in der Leichenkammer eines Krankenhauses zuletzt gesehen hatte. Else Woltersheim fiel ein oder besser auf: daß sie Katharina noch nie hatte weinen gesehen, auch nicht als Kind, wenn sie in der Schule zu leiden hatte oder Milieukummer sie bedrückte. In sehr höflicher Weise, fast liebenswürdig bestand Katharina darauf, sich auch bei den ausländischen

Damen Huelva und Puelco für alles zu bedanken, was sie für ihre Mutter getan hatten. Sie verließ das Krankenhaus gefaßt, vergaß auch nicht, ihren einsitzenden Bruder Kurt telegrafisch durch die Verwaltung des Krankenhauses verständigen zu lassen.

So blieb sie den ganzen Nachmittag und den Abend über: gefaßt. Obwohl sie immer wieder die beiden Ausgaben der ZEITUNG hervorholte, die Blornas, Else W. und Konrad B. mit sämtlichen Details und ihrer Interpretation dieser Details konfrontierte, schien auch ihr Verhältnis zur ZEITUNG ein anderes geworden zu sein. Zeitgemäß ausgedrückt: weniger emotional, mehr analytisch. In diesem ihr vertrauten und freundschaftlich gesonnenen Kreis, in Erwin Kloogs Wohnzimmer, sprach sie auch offen über ihr Verhältnis zu Sträubleder: Er habe sie einmal nach einem Abend bei Blornas nach Hause gebracht, sie, obwohl sie das strikt, fast mit Ekel abgelehnt habe, bis an die Haustür, dann sogar in ihre Wohnung begleitet, indem er einfach den Fuß zwischen die Tür gesetzt habe. Nun, er habe natürlich versucht, zudringlich zu werden, sei wohl beleidigt gewesen, weil sie ihn gar nicht unwiderstehlich fand, und sei schließlich – es war schon nach Mitternacht – gegangen. Von diesem Tag an habe er sie regelrecht verfolgt, sei immer wiedergekommen, habe Blumen geschickt,

Briefe geschrieben, und es sei ihm einige Male gelungen, zu ihr in die Wohnung vorzudringen, bei dieser Gelegenheit habe er ihr den Ring einfach aufgedrängt. Das sei alles. Sie habe deshalb seine Besuche nicht zugegeben bzw. seinen Namen nicht preisgegeben, weil sie es für unmöglich angesehen habe, den vernehmenden Beamten zu erklären, daß nichts, rein gar nichts, nicht einmal ein einziger Kuß zwischen ihnen gewesen sei. Wer würde ihr schon glauben, daß sie einem Menschen wie Sträubleder widerstehen würde, der ja nicht nur wohlhabend sei, sondern in Politik, Wirtschaft und Wissenschaft seines unwiderstehlichen Charmes wegen geradezu berühmt sei, fast wie ein Filmschauspieler, und wer würde einer Hausangestellten wie ihr schon glauben, daß sie einem Filmschauspieler widerstehen würde, und nicht einmal aus moralischen, sondern aus Geschmacksgründen? Er habe einfach nicht den geringsten Reiz auf sie ausgeübt, und sie empfinde diese ganze Herrenbesuchsgeschichte als das scheußlichste Eindringen in eine Sphäre, die sie nicht als Intimsphäre bezeichnen möchte, weil das mißverständlich sei, denn sie sei ja nicht andeutungsweise intim mit Sträubleder geworden – sondern weil er sie in eine Lage gebracht habe, die sie niemand, schon gar nicht einem Vernehmungskommando hätte erklären können. Letzten Endes aber – und hier lachte sie – habe sie doch eine gewisse Dankbarkeit für ihn empfunden, denn der Schlüssel zu seinem Haus sei für Ludwig wichtig gewesen, oder wenigstens die Adresse, denn – hier lachte sie wieder – Ludwig wäre gewiß auch ohne Schlüssel dort eingedrungen, aber der Schlüssel habe es natürlich erleichtert, und sie habe auch gewußt, daß die Villa über Karneval unbenutzt sei, denn gerade zwei Tage vorher habe Sträubleder sie wieder einmal aufs äußerste belästigt, geradezu bedrängt und ihr ein Karnevalswochenende dort vorgeschlagen, bevor er die Teilnahme an der Tagung in Bad B. zugesagt habe. Ja, Ludwig habe ihr gesagt, daß er von der Polizei gesucht würde, er habe ihr aber nur gesagt, daß er Bundeswehrdeserteur sei und dabei, sich ins Ausland abzusetzen, und – zum drittenmal lachte sie – es habe ihr Spaß gemacht, ihn eigenhändig in den Heizungsschacht zu expedieren und auf den Notausstieg zu verweisen, der am Ende von »Elegant am Strom wohnen« an der Ecke zur Hochkeppelstraße ans Tageslicht führe. Nein, sie habe zwar nicht geglaubt, daß die Polizei sie und Götten überwache, sondern sie habe das als eine Art Räuber- und Gendarmromantik angesehen, und erst am Morgen – tatsächlich sei Ludwig schon um sechs Uhr früh weggegangen – habe sie zu spüren bekommen, wie ernst das Ganze gewesen sei. Sie zeigte sich erleichtert darüber, daß

Götten verhaftet sei, nun, sagte sie, könne er keine Dummheiten mehr machen. Sie habe die ganze Zeit über Angst gehabt, denn dieser Beizmenne sei ihr unheimlich.

45

Es muß hier festgestellt und festgehalten werden, daß Samstagnachmittag und -abend fast nett verliefen, so nett, daß alle – die Blornas, Else Woltersheim und der merkwürdig stille Konrad Beiters – ziemlich beruhigt waren. Schließlich empfand man – und sogar Katharina selbst – die »Lage als entspannt«. Götten verhaftet, die Vernehmungen von Katharina abgeschlossen, Katharinas Mutter, wenn auch vorzeitig, von einem schweren Leiden erlöst, die Beerdigungsformalitäten waren eingeleitet, alle erforderlichen Dokumente in Kuir für den Rosenmontag versprochen, an dem ein Verwaltungsangestellter sich freundlicherweise bereit erklärt hatte, sie trotz des Feiertages auszustellen. Schließlich bestand auch ein gewisser Trost darin, daß der Caféhausbesitzer Erwin Kloog, der jede Bezahlung des Verzehrten (es handelte sich um Kaffee, Liköre, Kartoffelsalat, Würstchen und Kuchen) strikt ablehnte, beim Abschied sagte:

»Kopf hoch, Kathrinchen, nicht alle hier denken schlecht von dir.« Der Trost, der in diesen Worten verborgen war, mochte relativ sein, denn was heißt schon »nicht alle«? – aber immerhin waren es eben »nicht alle«. Man einigte sich darauf, zu Blornas zu fahren und dort den Rest des Abends zu verbringen. Dort wurde Katharina striktestens verboten, ihre ordnende Hand anzulegen, sie habe Urlaub und sollte sich entspannen. Es war Frau Woltersheim, die in der Küche Brote zurechtmachte, während Blorna und Beiters sich gemeinsam um den Kamin kümmerten. Tatsächlich ließ Katharina sich »einmal verwöhnen«. Es wurde später richtig nett, und wäre da nicht ein Todesfall und die Verhaftung eines sehr lieben Menschen gewesen, man hätte gewiß zu vorgerückter Stunde ein Tänzchen riskiert, denn immerhin war Karneval.

Es gelang Blorna nicht, Katharina von dem geplanten Interview mit Tötges abzubringen. Sie blieb ruhig und sehr freundlich, und später – nachdem das Interview sich als »Interview« erwiesen hatte – lief es Blorna, wenn er zurückblickte, kalt den Rücken hinunter, wenn er bedachte, mit welch entschlossener Kaltblütigkeit Katharina auf dem Interview bestanden und wie entschieden sie seinen Beistand abgelehnt hatte. Und doch war er später nicht ganz sicher, daß Katharina an diesem

Abend schon zum Mord entschlossen war. Viel wahrscheinlicher erschien ihm, daß die SONN-TAGSZEITUNG den Ausschlag gegeben hatte. Man trennte sich friedlich, wieder mit Umarmungen, diesmal ohne Tränen, nachdem man miteinander sowohl ernste wie leichte Musik gehört und Katharina wie Else Woltersheim ein wenig vom Leben in Gemmelsbroich und Kuir erzählt hatten. Es war erst halb elf abends, als Katharina, Frau Woltersheim und Beiters sich unter Versicherungen großer Freundschaft und Sympathie von den Blornas trennten, die sich glücklich priesen, doch noch rechtzeitig – rechtzeitig für Katharina – zurückgekommen zu sein. Am erlöschenden Kaminfeuer erörterten sie bei einer Flasche Wein neue Urlaubspläne und den Charakter ihres Freundes Sträubleder und seiner Frau Maud. Als Blorna seine Frau bat, doch bei künftigen Besuchen das Wort »Herrenbesuch« nicht mehr zu gebrauchen, sie müsse doch einsehen, daß es zu einem neuralgischen Wort geworden sei, sagte Trude Blorna: »Den werden wir so bald nicht wiedersehen.«

46

Es ist verbürgt, daß Katharina den Rest des
Abends ruhig verbrachte. Sie probierte ihr Bedui-
nenkostüm noch einmal an, verstärkte einige Näh-
te und entschloß sich, anstelle eines Schleiers ein
weißes Taschentuch zu verwenden. Man hörte
noch ein wenig Radio miteinander, aß ein wenig
Gebäck und begab sich dann zur Ruhe. Beiters,
indem er zum erstenmal offen mit Frau Woltersheim in deren Schlafzimmer ging, Katharina, indem sie es sich auf der Couch bequem machte.

47

Als Else Woltersheim und Konrad Beiters am
Sonntagmorgen aufstanden, war der Frühstücks-
tisch aufs freundlichste gedeckt, der Kaffee schon
in die Thermoskanne gefiltert und Katharina, die
mit offensichtlichem Appetit schon frühstückte,
saß am Wohnzimmertisch und las die SONN-
TAGSZEITUNG. Es soll hier kaum noch referiert, fast nur noch zitiert werden. Zugegeben, Katharinas »Story« war nicht mehr mit Foto auf der
Titelseite. Auf der Titelseite war diesmal Ludwig
Götten mit der Überschrift: »Der zärtliche Lieb-

haber von Katharina Blum in Industriellen-Villa gestellt.« Die Story selbst war umfangreicher als bisher auf den Seiten 7–9 mit zahlreichen Bildern: Katharina als Erstkommunikantin, ihr Vater als heimkehrender Gefreiter, die Kirche in Gemmelsbroich, noch einmal die Villa von Blornas. Katharinas Mutter als etwa Vierzigjährige, ziemlich vergrämt, fast verkommen wirkend vor dem winzigen Häuschen in Gemmelsbroich, in dem sie gewohnt hatten, schließlich ein Foto des Krankenhauses, in dem Katharinas Mutter in der Nacht von Freitag auf Samstag gestorben war. Der Text:

Als erstes nachweisbares Opfer der undurchsichtigen, immer noch auf freiem Fuß befindlichen Katharina Blum kann man jetzt ihre eigene Mutter bezeichnen, die den Schock über die Aktivitäten ihrer Tochter nicht überlebte. Ist es schon merkwürdig genug, daß die Tochter, während ihre Mutter im Sterben lag, mit inniger Zärtlichkeit mit einem Räuber und Mörder auf einem Ball tanzte, so grenzt es doch schon ans extrem Perverse, daß sie bei dem Tod keine Träne vergoß. Ist diese Frau wirklich nur »eiskalt und berechnend«? Die Frau eines ihrer früheren Arbeitgeber, eines angesehenen Landarztes, beschreibt sie so: »Sie hatte so eine richtig nuttige Art. Ich mußte sie entlassen, meiner heranwachsenden Söhne, unserer Patienten und auch um des Ansehens meines Mannes willen.«

War Katharina B. etwa auch an den Unterschlagungen des berüchtigten Dr. Fehnern beteiligt? (Die ZEITUNG berichtete seinerzeit über diesen Fall.) War ihr Vater ein Simulant? Warum wurde ihr Bruder kriminell? Immer noch ungeklärt: ihr rascher Aufstieg und ihre hohen Einkünfte. Nun steht endgültig fest: Katharina Blum hat dem blutbefleckten Götten zur Flucht verholfen, sie hat das freundschaftliche Vertrauen und die spontane Hilfsbereischaft eines hochangesehenen Wissenschaftlers und Industriellen schamlos mißbraucht. Es liegen inzwischen der ZEITUNG Informationen vor, die fast schlüssig beweisen: Nicht sie erhielt Herrenbesuch, sondern sie stattete unaufgefordert Damenbesuch ab, um die Villa auszubaldowern. Die geheimnisvollen Autofahrten der Blum sind nun nicht mehr so geheimnisvoll. Sie setzte den Ruf eines ehrenwerten Menschen, dessen Familienglück, seine politische Karriere – über die die ZEITUNG schon mehrfach berichtet hat – skrupellos aufs Spiel, gleichgültig gegenüber den Gefühlen einer loyalen Ehefrau und den vier Kindern. Offenbar sollte die Blum im Auftrag einer Linksgruppe die Karriere von S. zerstören.

Will die Polizei, will die Staatsanwaltschaft tatsächlich dem schandebedeckten Götten glauben, der die Blum voll entlastet? Die ZEITUNG erhebt zum wiederholten Male die Frage: Sind unsere

Vernehmungsmethoden nicht doch zu milde? Soll man gegen Unmenschen menschlich bleiben müssen?

Unter den Bildern von Blorna, Frau Blorna und der Villa:

In diesem Haus arbeitete die Blum von sieben bis sechzehn Uhr dreißig selbständig, unbewacht, mit dem vollen Vertrauen von Dr. Blorna und Frau Dr. Blorna. Was mag sich hier alles abgespielt haben, während die ahnungslosen Blornas ihrem Beruf nachgingen? Oder waren sie nicht so ahnungslos? Ihr Verhältnis zur Blum wird als sehr vertraut, fast vertraulich bezeichnet. Nachbarn erzählten Zeitungsreportern, man könne fast von einem freundschaftlichen Verhältnis sprechen. Gewisse Andeutungen übergehen wir hier, da sie nicht zur Sache gehören. Oder doch? Welche Rolle spielte Frau Dr. Gertrud Blorna, die in den Annalen einer angesehenen TH heute noch als die »rote Trude« bekannt ist? Wie konnte Götten aus der Wohnung der Blum entkommen, obwohl ihm die Polizei auf den Fersen war? Wer kannte die Konstruktionspläne des Appartementhauses »Elegant am Strom wohnen« bis ins letzte Detail? Frau Blorna. Die Verkäuferin Hertha Sch. und die Arbeiterin Claudia St. sagten übereinstimmend zur ZEITUNG: »Die, wie die miteinander tanzten (gemeint sind die Blum und der Bandit Götten) –

als hätten sie sich schon ewig gekannt. Das war
kein zufälliges Treffen, das war ein Wiedersehen.«

48

Als Beizmenne später intern kritisiert wurde, weil
er Götten, von dessen Aufenthalt in der Sträuble-
derschen Villa er schon seit Donnerstagabend
23.30 Uhr wußte, fast achtundvierzig Stunden un-
behelligt gelassen und damit ein weiteres Entkommen Göttens riskiert hatte, lachte er und sagte,
Götten habe schon ab Donnerstag um Mitternacht
keine Chance mehr gehabt zu entkommen. Das
Haus liege im Wald, sei aber auf eine geradezu
ideale Weise von Hochsitzen »wie von Wachtür-
men« umgeben, der Innenminister sei voll informiert und mit allen Maßnahmen einverstanden gewesen; es sei per Hubschrauber, der natürlich
nicht in Hörnähe gelandet sei, sofort ein Spezial-
trupp in Marsch gesetzt, auf die Hochsitze verteilt
worden, am anderen Morgen sei die lokale Poli-
zeidienststelle durch weitere zwei Dutzend Beamte auf die diskreteste Weise verstärkt worden. Das
wichtigste wäre gewesen, Göttens Kontaktversuche zu beobachten, und der Erfolg habe das Risiko
gerechtfertigt. Es seien fünf Kontakte ausgemacht

worden. Und man habe natürlich diese fünf Kontaktpersonen erst stellen und festnehmen, ihre Wohnungen durchsuchen müssen, bevor man Götten festnahm. Man habe bei diesem erst zugegriffen, als er auskontaktiert gewesen sei und leichtsinniger- oder frecherweise sich so sicher gefühlt habe, daß man ihn von außen habe beobachten können. Einige wichtige Details verdanke er übrigens den Reportern der ZEITUNG, dem dazu gehörenden Verlag und den mit diesem Haus verbundenen Organen, die nun einmal lockere und nicht immer konventionelle Methoden hätten, Einzelheiten zu erfahren, die amtlichen Rechercheuren verborgen blieben. So habe sich zum Beispiel herausgestellt, daß Frau Woltersheim ebensowenig ein unbeschriebenes Blatt sei wie Frau Blorna. Die Woltersheim sei 1930 als uneheliches Kind einer Arbeiterin in Kuir geboren. Die Mutter lebe noch, und zwar wo? In der DDR, und das keineswegs gezwungenermaßen, sondern freiwillig; es sei ihr mehrmals, erstmalig 1945, noch einmal 1952, ein weiteres Mal 1961 kurz vor dem Mauerbau angeboten worden, in ihre Heimat Kuir zurückzukommen, wo sie ein kleines Haus und einen Morgen Land besitze. Aber sie habe – und das dreimal und alle drei Male ausdrücklich – abgelehnt. Noch ein paar Stufen interessanter sei der Vater der Woltersheim, ein gewisser Lumm, ebenfalls Arbeiter, außerdem Mitglied der damaligen KPD, der 1932 in die Sowjetunion emigriert sei und dort angeblich verschollen sei. Er, Beizmenne, nehme an, auf den Vermißtenlisten der Deutschen Wehrmacht sei diese Art von Verschollenen nicht zu finden.

49

Da man nicht sicher sein kann, daß bestimmte, relativ deutliche Hinweise auf Handlungs- und Tatzusammenhänge nicht doch möglicherweise als bloße Andeutungen verlorengehen oder mißverstanden werden, sollte man hier doch noch einen Hinweis gestatten: Die ZEITUNG, die ja durch ihren Reporter Tötges den zweifellos verfrühten Tod von Katharinas Mutter verursachte, stellte nun in der SONNTAGSZEITUNG Katharina als am Tode ihrer Mutter schuldig dar und bezichtigte sie außerdem – eben nur mehr oder weniger offen – des Diebstahls an Sträubleders Schlüssel zu dessen Zweitvilla! Das sollte doch noch einmal hervorgehoben werden, denn man kann da nie sicher sein. Auch nicht ganz sicher, ob man alle Verleumdungen, Lügen, Verdrehungen der ZEITUNG richtig kapiert.

Es sei hier am Beispiel Blorna dargestellt, *wie* die ZEITUNG sogar auf relativ rationale Menschen wirken konnte. In dem Villenvorort, in dem Blornas wohnten, wurde natürlich die SONNTAGSZEITUNG nicht verkauft. Dort las man Edleres. So kam es, daß Blorna, der glaubte, es sei ja nun alles vorbei, und der nur ein wenig bange auf Katharinas Gespräch mit Tötges wartete, erst am Mittag, als er bei Frau Woltersheim anrief, von dem Artikel in der SONNTAGSZEITUNG erfuhr. Die Woltersheim ihrerseits hatte es als selbstverständlich angesehen, daß Blorna die SONNTAGSZEITUNG schon gelesen habe. Nun hat man doch hoffentlich begriffen, daß Blorna ein zwar herzlicher, ehrlich um Katharina besorgter, aber auch ein nüchterner Mensch war. Als er nun sich von Frau Woltersheim die entsprechenden Passagen aus der SONNTAGSZEITUNG am Telefon vorlesen ließ, traute er – wie man das so nennt – seinen Sinnen nicht (in diesem Fall nur einem Sinn: dem Gehör) – er ließ sich das noch einmal vorlesen, mußte es dann wohl glauben, und – so nennt man es wohl – es platzte ihm regelrecht der Kragen. Er schrie, brüllte, suchte in der Küche nach einer leeren Flasche, fand eine, rannte damit in die Garage, wo er zum Glück von seiner Frau gestellt und daran gehindert wurde, einen regelrechten Molotow-Cocktail zu basteln, den er in die Redaktion der ZEITUNG und später einen zweiten in Sträubleders »Erstvilla« werfen wollte. Man muß sich das vor Augen führen: Ein akademisch gebildeter Mensch von zweiundvierzig Jahren, der seit sieben Jahren Lüdings Achtung, Sträubleders Respekt wegen seiner nüchternen und klaren Verhandlungsführung hatte – und das international sowohl in Brasilien wie in Saudi-Arabien wie in Nordirland –, also es handelte sich keineswegs um einen provinziellen, sondern um einen durch und durch weltläufigen Menschen; *der* wollte Molotow-Cocktails basteln!

Frau Blorna erklärte das kurzerhand als spontan-kleinbürgerlich-romantischen Anarchismus, besprach ihn regelrecht, so wie man eine kranke oder wunde Körperstelle *bespricht,* griff selbst zum Telefon, ließ sich von Frau Woltersheim die entsprechenden Passagen vorlesen, und es muß hier gesagt werden: Sie wurde ziemlich blaß, sogar sie, und sie tat etwas, das vielleicht schlimmer war, als Molotow-Cocktails je sein können, sie griff zum Telefon, rief Lüding an (der um diese Zeit gerade über seinen Erdbeeren *mit* Sahne und *mit* Vanilleeis saß) und sagte einfach zu ihm: »Sie Schwein, Sie elendes Ferkel.« Sie nannte zwar ihren Namen nicht, doch man kann voraussetzen, daß alle Bekannten von Blornas die Stimme seiner Frau, die um ihrer treffenden und scharfen Bemerkungen willen berüchtigt war, kannten. Das wiederum ging ihrem Mann zu weit, der glaubte, sie habe mit Sträubleder telefoniert. Nun, es kam da noch zu verschiedenen Krächen, selbst zwischen Blornas, zwischen Blornas und anderen, aber da dabei niemand umgebracht wurde, soll man gestatten, daß darüber hinweggegangen wird. Diese an sich unwichtigen, wenn auch beabsichtigten Folgen der SONNTAGSZEITUNG werden hier nur erwähnt, damit man weiß, wie sogar gebildete und etablierte Menschen empört waren und Gewalttaten gröbster Art erwogen.

Erwiesen ist, daß Katharina um diese Zeit – so gegen zwölf Uhr –, nachdem sie sich eineinhalb Stunden unerkannt dort aufgehalten und wahrscheinlich Informationen über Tötges gesammelt hatte, das Journalistenlokal »Zur Goldente« verlassen hatte und in ihrer Wohnung auf Tötges, der etwa eine Viertelstunde später eintraf, wartete. Über das »Interview« braucht ja wohl nichts mehr gesagt zu werden. Man weiß, wie das ausging. (Siehe Seite 10.)

Um die überraschende – *alle* Beteiligten überraschende Auskunft des Pfarrers von Gemmelsbroich, Katharinas Vater sei ein verkappter Kommunist gewesen, auf ihren Wahrheitsgehalt zu
prüfen, fuhr Blorna für einen Tag in dieses Dorf.
Zunächst: Der Pfarrer bekräftigte seine Aussage,
gab zu, daß die ZEITUNG ihn wörtlich und richtig zitiert habe, Beweise für seine Behauptung
könnte er keine bringen, wollte er auch nicht, sagte sogar, die *brauche* er nicht, er könne sich auf
seinen Geruchssinn immer noch verlassen, und er
habe einfach gerochen, daß Blum ein Kommunist
sei. Definieren wollte er seinen Geruchssinn nicht,
war auch nicht sehr hilfsbereit, als Blorna ihn bat,
ihm doch zu erklären, wenn er schon seinen Geruchssinn nicht definieren könne, *wie* denn nun
der Geruch eines Kommunisten sei, sozusagen,
wie ein Kommunist denn rieche, und hier nun – es
muß leider gesagt werden – wurde der Pfarrer
ziemlich unhöflich, fragte Blorna, ob dieser katho-
lisch sei, und als jener das bejahte, verwies ihn der
Pfarrer auf seine Gehorsamspflicht, was Blorna
nicht verstand. Natürlich hatte er von da an
Schwierigkeiten bei den Recherchen über die
Blums, die nicht sonderlich beliebt gewesen zu
sein schienen; er hörte Schlimmes über Katharinas

verstorbene Mutter, die tatsächlich einmal in Gesellschaft des inzwischen entlassenen Küsters *eine* Flasche Meßwein in der Sakristei geleert hatte, hörte Schlimmes über Katharinas Bruder, der eine regelrechte Plage gewesen sei, aber das einzige, den Kommunismus von Katharinas Vater belegende Zitat war eine von jenem im Jahre 1949 in einer der sieben Kneipen des Dorfes dem Bauern Scheumel gegenüber getane Äußerung, die gelautet haben sollte, »Der Sozialismus ist gar nicht das schlechteste«. Mehr war nicht herauszukriegen. Das einzige, was Blorna erntete, war, daß er am Ende seiner mißglückten Recherchen im Dorf selbst als Kommunist nicht gerade beschimpft, aber bezeichnet wurde, und zwar, was ihn besonders schmerzlich überraschte, durch eine Dame, die ihm bis dato eine gewisse Hilfe, fast sogar Sympathie entgegengebracht hatte: die pensionierte Lehrerin Elma Zubringer, die ihn, als er sich von ihr verabschiedete, spöttisch anlächelte, ihm sogar zuzwinkerte und sagte: »Warum geben Sie nicht zu, daß Sie selbst einer von denen sind – und Ihre Frau erst recht.«

51

Es kann hier leider die eine oder andere Gewalttä-
tigkeit nicht verschwiegen werden, die sich ergab,
während Blorna sich auf den Prozeß gegen Katharina vorbereitete. Den größten Fehler beging er,
als er auf Katharinas Bitten auch die Verteidigung
Göttens übernahm und immer wieder versuchte,
für die beiden gegenseitige Besuchserlaubnis zu
erwirken, da er darauf bestand, sie seien verlobt.
Es habe eben an jenem fraglichen Abend des
zwanzigsten Februar und in der darauffolgenden
Nacht die Verlobung stattgefunden. Etc. Etc. Man
kann sich ausmalen, was die ZEITUNG alles über
ihn, über Götten, über Katharina, über Frau Blorna schrieb. Das soll hier nicht alles erwähnt oder
zitiert werden. Gewisse Niveauverletzungen oder
-verlassungen sollen nur dann vorgenommen werden, wenn sie notwendig sind, und hier sind sie
nicht notwendig, weil man ja inzwischen die ZEI-
TUNG wohl kennt. Es wurde das Gerücht ausge-
streut, Blorna wolle sich scheiden lassen, ein Gerücht, an dem nichts, aber auch gar nichts wahr
war, das aber dennoch zwischen den Eheleuten ein
gewisses Mißtrauen säte. Es wurde behauptet, es
ginge ihm finanziell dreckig, was schlimm war,
weil es zutraf. Tatsächlich hatte er sich ein bißchen
übernommen, da er außerdem eine Art Treuhän-

derschaft über Katharinas Wohnung übernommen hatte, die schwer zu vermieten war und auch nicht zu verkaufen, weil sie als »blutbefleckt« galt. Jedenfalls sank sie im Preis, und Blorna mußte gleichzeitig Amortisation, Zinsen etc. in unverminderter Höhe zahlen. Es gab sogar die ersten Anzeichen dafür, daß die »Haftex«, was ihren Wohnkomplex »Elegant am Strom wohnen« betraf, eine Schadenersatzklage gegen Katharina Blum erwog, weil diese den Miet-, Handels- und Gesellschaftswert geschädigt habe. Man sieht: Ärger, ziemlich viel Ärger. Ein Versuch, Frau Blorna aus der Architekturfirma zu entlassen wegen des Vertrauensbruches, der darin bestanden hatte, Katharina mit der Sub-Struktur des Wohnkomplexes vertraut zu machen, wurde zwar in erster Instanz abgewiesen, aber niemand ist sicher, wie die zweite und die dritte Instanz entscheiden werden. Noch eins: Der Zweitwagen ist schon abgeschafft, und kürzlich war ein Foto von Blornas wirklich ziemlich elegantem »Superschlitten« in der ZEITUNG mit der Unterschrift: »Wann wird der rote Anwalt auf den Wagen des kleinen Mannes umsteigen müssen?«

Natürlich ist auch Blornas Verhältnis zur »Lüstra«
(Lüding und Sträubleder Investment) gestört,
wenn nicht gelöst. Man spricht lediglich noch von
»Abwicklungen«. Immerhin bekam er von Sträubleder kürzlich die telefonische Auskunft: »Ver-
hungern lassen wir euch nicht«, wobei das Überraschende für Blorna war, daß Sträubleder »euch«
statt »dich« sagte. Er ist natürlich noch für die
»Lüstra« und die »Haftex« tätig, aber nicht mehr
auf internationaler Ebene, sogar nicht mehr auf
nationaler, nur noch selten auf regionaler, meistens auf lokaler, was bedeutet, daß er sich mit
miesen Vertragsbrechern und Querulanten her-
umschlagen muß, die etwa ihnen versprochene
Marmorverkleidungen einklagen, die nur in Soln-
hofener Schiefer ausgeführt worden sind, oder Typen, die, wenn ihnen drei Schleiflackschichten auf
Badezimmertüren versprochen wurden, mit dem
Messer Farbe abkratzen, Gutachter anheuern, die
feststellen, daß es nur zwei Schichten sind; trop-
fende Badewannenhähne, defekte Müllschlucker,
die man zum Anlaß nimmt, vertraglich abgemach-
te Zahlungen nicht zu leisten – das sind so die
Fälle, die man ihm jetzt überläßt, während er früher zwischen Buenos Aires und Persepolis nicht
gerade ständig, aber doch ziemlich häufig unter-

wegs war, um bei der Planung großer Projekte mitzuwirken. Im militärischen Dienst nennt man das eine Degradierung, die meistens mit demütigenden Tendenzen verbunden ist. Folge: Noch keine Magengeschwüre, aber Blornas Magen beginnt sich zu melden. Schlimm: daß er in Kohlforstenheim eigene Recherchen unternahm, um von dem örtlichen Polizeimeister zu erfahren, ob der Schlüssel, als man Götten verhaftete, innen oder außen steckte, oder ob man Anzeichen dafür gefunden habe, daß Götten eingebrochen sei. Was soll das, wo die Ermittlungen abgeschlossen sind? Das – es muß festgestellt werden – heilt die Magengeschwüre keinesfalls, wenn auch Polizeimeister Hermanns sehr nett zu ihm war, ihn keineswegs des Kommunismus verdächtigte, aber ihm dringend riet, die Finger davon zu lassen. Einen Trost hat Blorna: Seine Frau wird immer netter zu ihm, sie hat ihre scharfe Zunge immer noch, wendet sie aber nicht mehr gegen ihn an, nur noch gegen andere, wenn auch nicht gegen alle. Ihr Plan, die Villa zu verkaufen, Katharinas Wohnung freizukaufen und dorthin zu ziehen, scheiterte bisher nur an der Größe der Wohnung, was bedeutet: an deren Kleinheit, denn Blorna will sein Stadtbüro aufgeben und seine Abwicklungen zu Hause erledigen; er, der als Liberaler mit Bonvivant-Zügen galt, ein beliebter, lebenslustiger Kollege, dessen Parties beliebt waren, beginnt, asketische Züge zu zeigen, seine Kleidung, auf die er immer großen Wert legte, zu vernachlässigen, und da er sie *wirklich*, nicht auf eine modische Weise vernachlässigt, behaupten manche Kollegen sogar, er betreibe nicht einmal mehr ein Minimum an Körperpflege und beginne zu riechen. So kann man sich wenig Hoffnung auf eine neue Karriere für ihn machen, denn tatsächlich – hier soll nichts, aber auch gar nichts verschwiegen werden – ist sein Körpergeruch nicht mehr der alte, der eines Mannes, der morgens munter unter die Dusche springt, reichlich Seife, Desodorants und Duftwasser verwendet. Kurz: Es geht eine erhebliche Veränderung mit ihm vor sich. Seine Freunde – er hat noch einige, unter anderem Hach, mit dem er im übrigen in den Fällen Ludwig Götten und Katharina Blum beruflich zu tun hat – sind besorgt, zumal seine Aggressionen – etwa gegen die ZEITUNG, die ihn immer wieder mit kurzen Publikationen bedenkt – nicht mehr ausbrechen, sondern offensichtlich geschluckt werden. Die Sorge seiner Freunde geht so weit, daß sie Trude Blorna gebeten haben, unauffällig zu kontrollieren, ob Blorna sich Waffen besorgt oder Explosivkörper bastelt, denn der erschossene Tötges hat einen Nachfolger gefunden, der unter dem Namen Eginhard Templer eine Art Fortsetzung von Tötges betreibt: Es gelang diesem Templer, Blorna beim Betreten einer privaten Pfandleihe zu fotografieren, dann, offenbar durchs Schaufenster fotografiert, den Lesern der ZEITUNG Einblick in die Verhandlungen zwischen Blorna und dem Pfandleiher zu geben: Es wurde dort über den Leihwert eines Ringes verhandelt, den der Pfandleiher mit einer Lupe begutachtete. Unterschrift des Bildes: »Fließen die roten Quellen wirklich nicht mehr, oder wird hier Not vorgetäuscht?«

53

Blornas größte Sorge ist, Katharina so weit zu bringen, daß sie bei der Hauptverhandlung aussagen wird, sie habe erst am Sonntagmorgen den Entschluß gefaßt, sich an Tötges zu rächen, keineswegs mit tödlicher, nur mit abschreckender Absicht. Sie habe zwar bereits am Samstag, als sie Tötges zu einem Interview einlud, die Absicht gehabt, ihm tüchtig die Meinung zu sagen und ihn darauf aufmerksam zu machen, was er in ihrem Leben und im Leben ihrer Mutter angerichtet habe, aber töten wollen habe sie ihn nicht einmal am Sonntag, nicht einmal nach Lektüre des Artikels in der SONNTAGSZEITUNG. Es soll der Eindruck vermieden werden, Katharina habe den Mord tagelang geplant und auch planmäßig ausgeführt. Er versucht ihr – die angibt, schon am Donnerstag nach Lektüre des ersten Artikels *Mordgedanken* gehabt zu haben – klarzumachen, daß manch einer – auch er – gelegentlich Mordgedanken habe, daß man aber den Unterschied zwischen Mordgedanken und Mordplan herausarbeiten müsse. Was ihn außerdem beunruhigt: daß Katharina immer noch keine Reue empfindet, sie deshalb auch nicht vor Gericht wird zeigen können. Sie ist keineswegs deprimiert, sondern irgendwie glücklich, weil sie »unter denselben Bedingungen wie mein lieber Ludwig« lebt. Sie gilt als vorbildliche Gefangene, arbeitet in der Küche, soll aber, wenn sich der Beginn der Hauptverhandlung noch hinauszögert, in die Wirtschaftsabteilung (Ökonomie) versetzt werden; dort aber – so ist zu erfahren – erwartet man sie keineswegs begeistert: Man fürchtet – auf Verwaltungs- und auf Häftlingsseite – den Ruf der Korrektheit, der ihr vorangeht, und die Aussicht, daß Katharina möglicherweise ihre ganze Haftzeit – man rechnet damit, daß fünfzehn Jahre beantragt werden und daß sie acht bis zehn Jahre bekommt – im Wirtschaftswesen beschäftigt werden soll, verbreitet sich als Schreckensnachricht durch alle Haftanstalten. Man sieht: Korrektheit, mit planerischer Intelligenz verbunden, ist nirgendwo erwünscht, nicht einmal in Gefängnissen, und nicht einmal von der Verwaltung.

54

Wie Hach Blorna vertraulich mitteilte, wird man die Mordanklage gegen Götten wahrscheinlich nicht aufrechterhalten können und also auch nicht erheben. Daß er aus der Bundeswehr nicht nur desertiert ist, sondern diese segensreiche Einrichtung außerdem erheblich geschädigt hat (auch materiell, nicht nur moralisch), gilt als erwiesen. Nicht Bankraub, sondern totale Ausplünderung eines Safes, der den Wehrsold für zwei Regimenter und erhebliche Geldreserven enthielt; außerdem Bilanzfälschung, Waffendiebstahl. Nun, man muß auch für ihn mit acht bis zehn Jahren rechnen. Er wäre dann bei seiner Entlassung etwa vierunddreißig, Katharina wäre fünfunddreißig, und sie hat tatsächlich Zukunftspläne: Sie rechnet damit, daß sich ihr Kapital bis zu ihrer Entlassung erheblich verzinst, und will dann »irgendwo, natürlich nicht hier« ein »Restaurant mit Traiteurservice« aufmachen. Ob sie nun als Göttens Verlobte gelten darf, das wird wahrscheinlich nicht an höherer, sondern an höchster Stelle entschieden. Entsprechende Anträge liegen vor und sind auf dem langen Marsch durch die Instanzen. Übrigens handelte es sich bei den Telefonkontakten, die Götten von Sträubleders Villa aus aufnahm, ausschließlich um Bundeswehrangehörige oder deren Frauen, darunter Offiziere und Offiziersfrauen. Man rechnet mit einem Skandal mittleren Umfangs.

55

Während Katharina fast unangefochten, lediglich in ihrer Freiheit eingeschränkt, der Zukunft entgegensieht, befindet sich auch Else Woltersheim auf dem Weg in eine sich steigernde Verbitterung. Es hat sie sehr getroffen, daß man ihre Mutter und ihren verstorbenen Vater diffamierte, der als Opfer des Stalinismus gilt. Man kann bei Else Woltersheim verstärkte gesellschaftsfeindliche Tendenzen feststellen, die zu mildern nicht einmal Konrad Beiters gelingt. Da Else sich immer mehr aufs kalte Buffet spezialisiert hat, sowohl, was die Planung wie Erstellung und Überwachung betrifft, wendet sich ihre Aggressivität immer mehr gegen die Partygäste, mögen es nun ausländische oder inländische Journalisten, Industrielle, Gewerkschaftsfunktionäre, Bankiers oder leitende Angestellte sein. »Manchmal«, sagte sie neulich zu Blorna, »muß ich mich mit Gewalt zurückhalten, um nicht irgendeinem Seeger eine Schüssel Kartoffelsalat über den Frack oder irgendeiner Zicke eine Platte mit Lachsschinken in den Busenausschnitt zu kippen, damit die endlich das Gruseln lernen. Sie müssen sich das mal von der anderen, von unserer Seite aus vorstellen: Wie sie da alle mit ihren aufgesperrten Mündern, oder sagen wir lieber Fressen, stehen, und wie sich natürlich alle erst einmal auf die Kaviarbrötchen stürzen – und da gibt es Typen, von denen ich weiß, daß sie Millionäre sind oder Millionärsfrauen, die stecken sich auch noch Zigaretten und Streichhölzer, Petit-Fours in die Tasche. Nächstens bringen sie noch irgendwelche Plastiktüten mit, in denen sie den Kaffee davonschleppen – und das alles, alles wird doch irgendwie von unseren Steuern bezahlt, so oder so. Da gibt es Typen, die sich das Frühstück oder das Mittagessen sparen und wie die Geier übers Buffet herfallen – aber ich möchte damit natürlich die Geier nicht beleidigen.«

56

An handgreiflichen Gewalttätigkeiten ist bisher eine bekanntgeworden, die leider ziemlich viel öffentliche Beachtung fand. Anläßlich einer Ausstellungseröffnung des Malers Frederick Le Boche, als dessen Mäzen Blorna gilt, traf er zum erstenmal wieder Sträubleder persönlich, und als dieser ihm strahlend entgegenkam, Blorna ihm aber die Hand nicht geben wollte, Sträubleder Blornas Hand aber geradezu ergriff und ihm zuflüsterte: »Mein Gott, nimm das doch nicht zu ernst, wir lassen euch schon nicht verkommen – nur läßt du dich leider verkommen.« Nun, es muß korrekterweise leider berichtet werden, daß in diesem Moment Blorna Sträubleder wirklich in die F... schlug. Rasch gesagt, um ebenso rasch vergessen zu werden: Es floß Blut, aus Sträubleders Nase, nach privaten Schätzungen etwa vier bis sieben Tropfen, aber, was schlimmer war: Sträubleder wich zwar zurück, sagte aber dann: »Ich verzeihe dir, verzeihe dir alles – angesichts deines emotionellen Zustandes.« Und so kam es, da diese Bemerkung Blorna über die Maßen zu reizen schien, zu etwas, das Augenzeugen als »Handgemenge« bezeichneten, und wie es nun einmal so ist, wenn Leute wie Sträubleder und Blorna sich in der Öffentlichkeit zeigen, war auch der Fotograf von der ZEI-

TUNG, ein gewisser Kottensehl, der Nachfolger des erschossenen Schönner, zugegen, und man kann es vielleicht der ZEITUNG – da man ja ihren Charakter inzwischen kennt – nicht übelnehmen, daß sie das Foto von diesem Handgemenge publizierte mit der Überschrift: »Konservativer Politiker von linkem Anwalt tätlich angegriffen.« Am nächsten Morgen natürlich erst. Während der Ausstellung kam es noch zu einer Begegnung zwischen Maud Sträubleder und Trude Blorna. Maud Sträubleder sagte zu Trude Blorna: »Mein Mitleid ist dir gewiß, liebe Trude«, woraufhin Trude B. zu Maud S. sagte: »Tu dein Mitleid nur schleunigst in den Eisschrank zurück, wo alle deine Gefühle lagern.« Als sie dann noch einmal von Maud S. Verzeihung, Milde, Mitleid, ja fast Liebe angeboten bekam mit den Worten: »Nichts, gar nichts, auch nicht deine zersetzenden Äußerungen können meine Sympathie verringern«, antwortete Trude B. mit Worten, die hier nicht wiedergegeben werden können, über die nur in referierender Form berichtet werden kann; damenhaft waren die Worte nicht, mit denen Trude B. auf die zahlreichen Annäherungsversuche von Sträubleder anspielte und unter anderem – unter Verletzung der Schweigepflicht, der auch die Frau eines Anwalts unterliegt – auf Ring, Briefe und Schlüssel hinwies, die »dein immer wieder abgewiesener Freier in einer gewissen Wohnung gelassen hat«. Hier wurden die streitenden Damen durch Frederick Le Boche getrennt, der es sich nicht hatte nehmen lassen, Sträubleders Blut geistesgegenwärtig mit einem Löschblatt aufzufangen und zu einem – wie er es nannte – »One minute piece of art« zu verarbeiten, dem er den Titel »Ende einer langjährigen Männerfreundschaft« gab, signierte und nicht Sträubleder, sondern Blorna schenkte, mit den Worten: »Das kannst du verscheuern, um deine Kasse ein bißchen aufzubessern.« Man sollte an dieser letzterwähnten Tatsache sowie an den eingangs beschriebenen Gewalttätigkeiten erkennen dürfen, daß die Kunst doch noch eine soziale Funktion hat.

57

Es ist natürlich äußerst bedauerlich, daß hier zum Ende hin so wenig Harmonie mitgeteilt und nur sehr geringe Hoffnung auf solche gemacht werden kann. Nicht Integration, Konfrontation hat sich ergeben. Man muß sich natürlich die Frage erlauben dürfen, wieso oder warum eigentlich? Da ist eine junge Frau gut gelaunt, fast fröhlich zu einem harmlosen Tanzvergnügen gegangen, vier Tage später wird sie – da hier nicht ge-, sondern nur berichtet werden soll, soll es bei der Mitteilung von Fakten belassen bleiben – zur Mörderin, eigentlich, wenn man genau hinsieht, auf Grund von Zeitungsberichten. Es kommt zu Gereiztheiten und Spannungen, schließlich Handgreiflichkeiten zwischen zwei sehr sehr lange befreundeten Männern. Spitze Bemerkungen von deren Frauen. Abgewiesenes Mitleid, ja abgewiesene Liebe. Höchst unerfreuliche Entwicklungen. Ein fröhlicher, weltoffener Mensch, der das Leben, das Reisen, Luxus liebt – vernachlässigt sich so sehr, daß er Körpergeruch ausströmt! Sogar Mundgeruch ist bei ihm festgestellt worden. Er bietet seine Villa zum Verkauf an, er geht zum Pfandleiher. Seine Frau sieht sich »nach etwas anderem um«, da sie sicher ist, in der zweiten Instanz zu verlieren; sie ist sogar bereit, diese begabte Frau ist bereit, wieder als bessere Verkäuferin mit dem Titel »Beraterin für Innenarchitektur« zu einer großen Möbelfirma zu gehen, aber dort läßt man sie wissen, »daß die Kreise, an die wir üblicherweise verkaufen, genau die Kreise sind, gnädige Frau, mit denen Sie sich überworfen haben«. Kurz gesagt: Es sieht nicht gut aus. Staatsanwalt Hach hat Freunden bereits im Vertrauen zugeflüstert, was er Blorna selbst noch nicht zu sagen gewagt hat: daß man ihn als Verteidiger möglicherweise wegen erheblicher Befangenheit ablehnen wird. Was soll daraus werden, wie soll das enden? Was wird aus Blorna, wenn er nicht mehr die Möglichkeit hat, Katharina zu besuchen und mit ihr – man sollte es jetzt nicht mehr länger verschweigen! – Händchen zu halten. Kein Zweifel: Er liebt sie, sie ihn nicht, und er hat nicht die geringste Hoffnung, denn alles, alles gehört doch ihrem »lieben Ludwig«! Und es muß hinzugefügt werden, daß »Händchen-Halten« hier eine vollkommen einseitige Sache ist, denn es besteht lediglich darin, daß er, wenn Katharina Akten oder Notizen oder Aktennotizen hinüberreicht, seine Hände auf ihre legt, länger, vielleicht drei-, vier- höchstens fünfzehntel Sekunden länger als üblich wäre. Verflucht, wie soll man hier Harmonie herstellen, und nicht einmal seine heftige Zuneigung zu Katharina veranlaßt ihn, sich – nun sagen wir einmal – ein bißchen häufiger zu waschen. Nicht einmal die Tatsache, daß er, er allein die Herkunft der Tatwaffe herausgefunden hat – was Beizmenne, Moeding und ihren Helfern nicht gelang –, tröstet ihn. Nun ist »herausgefunden« vielleicht zuviel gesagt, es handelt sich um ein freiwilliges Geständnis von Konrad Beiters, der bei dieser Gelegenheit zugab, er sei ein alter Nazi, und dieser Tatsache allein verdanke er es wahrscheinlich, daß man bisher auf ihn nicht aufmerksam geworden sei. Nun, er sei Politischer Leiter in

Kuir gewesen und habe seinerzeit etwas für Frau Woltersheims Mutter tun können, und, nun, die Pistole sei eine alte Dienstpistole, die er versteckt, aber dummerweise Else und Katharina gelegentlich gezeigt habe; man sei sogar einmal zu dreien in den Wald gefahren und habe dort Schießübungen veranstaltet; Katharina habe sich als sehr gute Schützin erwiesen und ihn drauf aufmerksam gemacht, daß sie schon als junges Mädchen beim Schützenverein gekellnert habe und gelegentlich mal habe ballern dürfen. Nun, am Samstagabend habe Katharina ihn um seinen Wohnungsschlüssel gebeten mit der Begründung, er müsse doch verstehen, sie wolle einmal allein sein, ihre eigene Wohnung sei für sie tot, tot... sie sei aber am Samstag doch bei Else geblieben und müsse sich die Pistole am Sonntag aus seiner Wohnung geholt haben, und zwar, als sie nach dem Frühstück und nach der Lektüre der SONNTAGSZEITUNG als Beduinenfrau verkleidet in diese Journalistenbumsbude gefahren sei.

58

Letzten Endes bleibt da doch noch etwas halbwegs Erfreuliches mitzuteilen: Katharina erzählte

Blorna den Tathergang, erzählte ihm auch, wie sie die sieben oder sechseinhalb Stunden zwischen dem Mord und ihrem Eintreffen bei Moeding verbracht hatte. Man ist in der glücklichen Lage, diese Schilderung wörtlich zu zitieren, da Katharina alles schriftlich niederlegte und Blorna zur Verwendung beim Prozeß überließ.

»In das Journalistenlokal bin ich nur gegangen, um ihn mir mal anzuschauen. Ich wollte wissen, wie solch ein Mensch aussieht, was er für Gebärden hat, wie er spricht, trinkt, tanzt – dieser Mensch, der mein Leben zerstört hat. Ja, ich bin vorher in Konrads Wohnung gegangen und habe mir die Pistole geholt, und ich habe sie sogar selbst geladen. Das hatte ich mir genau zeigen lassen, als wir damals im Wald geschossen haben. Ich wartete in dem Lokal eineinhalb bis zwei Stunden, aber er kam nicht. Ich hatte mir vorgenommen, wenn er zu widerlich wäre, gar nicht zu dem Interview zu gehen, und hätte ich ihn vorher gesehen, wäre ich auch nicht hingegangen. Aber er kam ja nicht in die Kneipe. Um den Belästigungen zu entgehen, habe ich den Wirt, er heißt Kraffluhn, Peter, und ich kenne ihn von meinen Nebenbeschäftigungen her, wo er manchmal als Oberkellner aushilft – ich habe ihn gebeten, mich beim Ausschank hinter der Theke helfen zu lassen. Peter wußte natürlich, was in der ZEITUNG über mich gelaufen war, er hatte mir versprochen, mir ein Zeichen zu geben, wenn Tötges auftauchen sollte. Ein paarmal, weil ja nun Karneval war, habe ich mich auch ›zum Tanz auffordern‹ lassen, aber als Tötges nicht kam, wurde ich doch sehr nervös, denn ich wollte nicht unvorbereitet mit ihm zusammentreffen. Nun, um zwölf bin ich dann nach Hause gefahren, und es war mir scheußlich in der verschmierten und verdreckten Wohnung. Ich habe nur ein paar Minuten warten müssen, bis es klingelte, gerade Zeit genug, die Pistole zu entsichern und griffbereit in meiner Handtasche zu plazieren. Ja und dann klingelte es, und er stand schon vor der Tür, als ich aufmachte, und ich hatte doch gedacht, er hätte unten geklingelt, und ich hätte noch ein paar Minuten Zeit, aber er war schon mit dem Aufzug raufgefahren, und da stand er vor mir, und ich war erschrocken. Nun, ich sah sofort, welch ein Schwein er war, ein richtiges Schwein. Und dazu hübsch. Was man so hübsch nennt. Nun, Sie haben ja die Fotos gesehen. Er sagte: ›Na, Blümchen, was machen wir zwei denn jetzt?‹ Ich sagte kein Wort, wich ins Wohnzimmer zurück, und er kam mir nach und sagte: ›Was guckst du mich denn so entgeistert an, mein Blümelein – ich schlage vor, daß wir jetzt erst einmal bumsen.‹ Nun, inzwischen war ich bei meiner Handtasche, und er ging mir an die Kledage, und ich dachte: ›Bumsen, meinetwegen‹, und ich hab’ die Pistole rausgenommen und sofort auf ihn geschossen. Zweimal, dreimal, viermal. Ich weiß nicht mehr genau. Wie oft, das können Sie ja in dem Polizeibericht nachlesen. Ja, nun müssen Sie nicht glauben, daß es was Neues für mich war, daß ein Mann mir an die Kledage wollte – wenn Sie von Ihrem vierzehnten Lebensjahr an, und schon früher, in Haushalten arbeiten, sind Sie was gewohnt. Aber *dieser* Kerl – und dann ›Bumsen‹, und ich dachte: Gut, jetzt bumst’s. Natürlich hatte er damit nicht gerechnet, und er guckte mich noch ’ne halbe Sekunde oder so erstaunt an, so wie im Kino, wenn einer plötzlich aus heiterem Himmel erschossen wird. Dann fiel er um, und ich glaube, daß er tot war. Ich habe die Pistole neben ihn geschmissen und bin raus, mit dem Aufzug runter, und zurück in die Kneipe, und Peter war erstaunt, denn ich war kaum eine halbe Stunde weggewesen. Ich hab’ dann weiter an der Theke gearbeitet, habe nicht mehr getanzt, und die ganze Zeit über dachte ich ›Es ist wohl doch nicht wahr‹, ich wußte aber, daß es wahr war. Und Peter kam manchmal zu mir und sagte: ›Der kommt heute nicht, dein Kumpel da‹, und ich sagte: ›Sieht ganz so aus.‹ Und tat gleichgültig. Bis vier habe ich Schnäpse ausgeschenkt und Bier gezapft und Sektflaschen geöffnet und Rollmöpse serviert. Dann bin ich gegangen, ohne mich von

Peter zu verabschieden, bin erst in eine Kirche nebenan, hab' da vielleicht eine halbe Stunde gesessen und an meine Mutter gedacht, an dieses verfluchte, elende Leben, das sie gehabt hat, und auch an meinen Vater, der immer, immer nörgelte, immer, und auf Staat und Kirche, Behörden und Beamte, Offiziere und alles schimpfte, aber wenn er mal mit einem von denen zu tun hatte, dann ist er gekrochen, hat fast gewinselt vor Unterwürfigkeit. Und an meinen Mann, Brettloh, an diesen miesen Dreck, den er diesem Tötges erzählt hatte, an meinen Bruder natürlich, der ewig und ewig hinter meinem Geld her war, wenn ich nur ein paar Mark verdient hatte, und sie mir abknöpfte für irgendeinen Blödsinn, Kleider oder Motorräder oder Spielsalons, und natürlich auch an den Pfarrer, der mich in der Schule immer ›unser rötliches Kathrinchen‹ genannt hat, und ich wußte gar nicht, was er meinte, und die ganze Klasse lachte, weil ich dann wirklich rot wurde. Ja. Und natürlich auch an Ludwig. Dann bin ich aus der Kirche raus und ins nächstbeste Kino, und wieder raus aus dem Kino, und wieder in eine Kirche, weil das an diesem Karnevalssonntag der einzige Ort war, wo man ein bißchen Ruhe fand. Ich dachte natürlich auch an den Erschossenen da in meiner Wohnung. Ohne Reue, ohne Bedauern. Er wollte doch bumsen, und ich habe gebumst, oder? Und einen Augenblick lang dachte ich, es wäre der Kerl, der mich nachts angerufen hat und der auch die arme Else dauernd belästigt hat. Ich dachte, das ist doch die Stimme, und ich wollte ihn noch ein bißchen quatschen lassen, um es herauszukriegen, aber was hätte mir das genutzt? Und dann hatte ich plötzlich Lust auf einen starken Kaffee und bin zum Café Bekering gegangen, nicht ins Lokal, sondern in die Küche, weil ich Käthe Bekering, die Frau des Besitzers, von der Haushaltsschule her kenne. Käthe war sehr nett zu mir, obwohl sie ziemlich viel zu tun hatte. Sie hat mir eine Tasse von ihrem eigenen Kaffee gegeben, den sie ganz nach Omas Art noch richtig auf den gemahlenen Kaffee aufschüttet. Aber dann fing sie auch mit dem Kram aus der ZEITUNG an, nett, aber doch auf eine Weise, als glaubte sie wenigstens ein bißchen davon – und wie sollen die Leute denn auch wissen, daß das alles gelogen ist. Ich habe ihr zu erklären versucht, aber sie hat nicht verstanden, sondern nur mit den Augen gezwinkert und gesagt: ›Und du liebst also diesen Kerl wirklich‹, und ich habe gesagt ›Ja‹. Und dann habe ich mich für den Kaffee bedankt, hab' mir draußen ein Taxi genommen und bin zu diesem Moeding gefahren, der damals so nett zu mir war.«

HEINRICH BÖLL
DER ENGEL SCHWIEG
Roman

Leinen

Dieser frühe, bisher völlig unbekannte Roman Heinrich
Bölls erscheint 1992 – 40 Jahre nach seiner Entstehung. Er
blieb unveröffentlicht, weil sein Thema: die Zeit kurz nach
dem Krieg, Anfang der 50er Jahre nicht mehr opportun war.
Heute zeigt sich, daß in diesem Roman alle wichtigen Motive
der späteren Werke Bölls aufgenommen wurden. Für jeden,
der das Böllsche Werk liebt, ist diese Liebesgeschichte, »die
der Phrasenlosigkeit der heimkehrenden Generation ent-
spricht, die weiß, daß es keine Heimat auf dieser Welt gibt«
(Böll), eine Entdeckung.

KIEPENHEUER & WITSCH

dtv
großdruck

Ernst Heimeran:
Lehrer, die wir hatten
dtv 25035
Schüler, die wir waren
dtv 25042
Sonntagsgespräche
mit Nele · dtv 25055
Der Vater und sein
erstes Kind · dtv 25063

Hinterm Ofen zu lesen
dtv 2595

Erich Kästner:
Die verschwundene
Miniatur · dtv 25034
Drei Männer im Schnee
dtv 25048

Irmgard Keun:
Das Mädchen, mit dem
die Kinder nicht verkehren
durften · dtv 25050

Irina Korschunow:
Glück hat seinen Preis
dtv 25009

Milan Kundera:
Die unerträgliche
Leichtigkeit des Seins
dtv 25040

Selma Lagerlöf:
Christuslegenden · dtv 2573

Lebenslehrzeit · dtv 25022

Siegfried Lenz:
Der Mann im Strom
dtv 2500
Der Geist der Mirabelle
dtv 2571
Einstein überquert die Elbe
bei Hamburg · dtv 2576
Deutschstunde · dtv 25057

Doris Lessing:
Die andere Frau · dtv 25098
Ein nicht abgeschickter
Liebesbrief · dtv 25015

Anne Morrow Lindbergh:
Muscheln in meiner Hand
dtv 25053

William Somerset Maugham:
Eine Frau von fünfzig Jahren
dtv 25013

Amei-Angelika Müller:
Pfarrers Kinder, Müllers
Vieh · dtv 25011

Isabella Nadolny:
Seehamer Tagebuch
dtv 2580
Ein Baum wächst
übers Dach · dtv 25058

Christine Nöstlinger:
Haushaltsschnecken
leben länger · dtv 25030

Käthe von Normann:
Ein Tagebuch aus Pommern
1945 – 1946 · dtv 2597

dtv
großdruck

Der Papalagi
dtv 25062

Herbert Rosendorfer:
Briefe in die chinesische
Vergangenheit · dtv 25044

Eugen Roth:
So ist das Leben · dtv 2529

Hans Scheibner:
Der Weihnachtsmann
in Nöten · dtv 25036

Schöne Sommerzeit
Ein Jahreszeiten-Brevier
dtv 2568

Schöne Winterzeit
Ein Jahreszeiten-Brevier
dtv 25037

Vilma Sturm:
Alte Tage · dtv 25049

J.R.R. Tolkien:
Der kleine Hobbit · dtv 25051

Friedrich Torberg:
Die Tante Jolesch
dtv 25021
Die Erben der Tante Jolesch
dtv 25038
Der Schüler Gerber
dtv 25047

Una Troy:
Mutter macht Geschichten
dtv 25003
Ein Sack voll Gold
dtv 25002
Die Pforte zum Himmelreich
dtv 25052

José Mauro de Vasconcelos:
Wenn ich einmal groß bin
dtv 25056

Karl Heinrich Waggerl:
Die Kunst des Müßiggangs
dtv 2587
Das Lebenshaus
dtv 25007
Kraut und Unkraut
dtv 25019
Die Pfingstreise
dtv 25039

Weihnachten 1945
Ein Buch der Erinnerungen
Herausgegeben von
Claus Hinrich Casdorff
dtv 25028

Weil wieder Weihnachten
wird · dtv 25046

Anna Wimschneider:
Herbstmilch · dtv 25059

Christa Wolf:
Der geteilte Himmel
dtv 25020

Marguerite Yourcenar:
Ich zähmte die Wölfin
dtv 25017

Heinrich Böll
im dtv

Foto: Isolde Ohlbaum

Irisches Tagebuch · dtv 1

Zum Tee bei Dr. Borsig
Hörspiele · dtv 200

Wanderer, kommst du nach Spa …
dtv 437

Ende einer Dienstfahrt · dtv 566

Der Zug war pünktlich · dtv 818

Wo warst du, Adam? · dtv 856

Gruppenbild mit Dame · dtv 959

Billard um halbzehn · dtv 991

Die verlorene Ehre der Katharina
Blum · dtv großdruck 25001

Das Brot der frühen Jahre
dtv 1374

Hausfriedensbruch. Hörspiel
Aussatz. Schauspiel
dtv 1439

Und sagte kein einziges Wort
dtv 1518

Ein Tag wie sonst
Hörspiele · dtv 1536

Haus ohne Hüter · dtv 1631

Du fährst zu oft nach Heidelberg
dtv 1725

Das Heinrich Böll Lesebuch
dtv 10031

Was soll aus dem Jungen bloß
werden?
Oder: Irgendwas mit Büchern
dtv 10169

Das Vermächtnis · dtv 10326

Die Verwundung · dtv 10472

Heinrich Böll/Heinrich Vormweg:
Weil die Stadt so fremd geworden
ist… dtv 10754

Niemands Land
Kindheitserinnerungen
an die Jahre 1945 bis 1949
Herausgegeben von Heinrich Böll
dtv 10787

Frauen vor Flußlandschaft · dtv 11196

Eine deutsche Erinnerung
Interview mit René Wintzen
dtv 11385

Rom auf den ersten Blick
Landschaften. Städte. Reisen
dtv 11393

Nicht nur zur Weihnachtszeit
dtv 11591; auch dtv großdruck 2575

Unberechenbare Gäste · dtv 11592

Entfernung von der Truppe · dtv 11593

Heinrich Böll zum Wiederlesen
dtv großdruck 25023

In eigener und anderer Sache
Schriften und Reden 1952 – 1985
9 Bände in Kassette · dtv 5962
(Einzelbände dtv 10601 – 10609)

Über Heinrich Böll:
In Sachen Böll –
Ansichten und Einsichten
Hrsg. v. Marcel Reich-Ranicki
dtv 730

James H. Reid:
Heinrich Böll. Ein Zeuge seiner Zeit
dtv 4533